AX(AI Transformation) Educational Revolution :
Half Price Private Education.

박정일(朴正一, 1962~) / 전 경기도교육연구원장

産
삼성SDS(주) Tokyo 사무소장 (이하 모두 前)

學
한양대학교 공대 Computer·Software학과 겸임교수

研
경기도교육연구원장
경제위기관리연구소 부소장

法
법무법인(유한) 클라스 고문

委
4차 산업혁명전략위원회 민간위원
대한민국 AI Cluster Forum 위원
광주광역시 인공지능(AI) 대표도시 만들기 추진위원
대통령직속 일자리위원회 중소벤처분과위원장(T/F장)

著
김치·스시·햄버거의 신 삼국지 (2004)
미·중 패권 다툼과 일자리 전쟁 (2018)
AI 한국경영 지도자 편 (2020)
AI 한국경영 정책제언 편 (2021)
AI 한국경영 국정운영 편 (2021)
AI 한국경영 미래비전 편 (2021)
AI 한국경영 뉴거버넌스 편 (2022)
ChatGPT 시대에 묻는 교육의 미래 (2023)

AX 교육혁명

반값 사교육 편

AI Creator
박 정 일
전 경기도교육연구원 원장

휴먼필드
Human Field

머리말

2030년 대한민국 그랜드 비전 3·5·7 전략
—AI G3 도약, 수출대국 G5, 경제대국 G7

AI 혁명 시대 'AI G3' 도약의 초석을 다지는 성공한 대통령을 보고 싶다. 산업화 시대 '한강의 기적'을 이룬 박정희 전 대통령, IMF 위기를 극복 'IT 강국' 초석을 닦은 김대중 전 대통령의 궤적은 AI 대통령을 꿈꾸는 지도자에게는 더할 나위 없는 교과서다. 대한민국은 후진국에서 개발도상국을 거쳐, 이제는 어엿한 세계 10위권의 선진국 반열에 이르렀다. 이제 제조 강국 일본을 잡으려고 발버둥을 치던 시대는 막을 내렸다.

IT 시대는 한국이 일본을 앞질렀다. 광복 100주년인 2045년 미·중에 이은 'AI G3' 도약을 위해선 AI 미래 인재 300만 명 양성은 선택이 아닌 필수조건이다. '세계에서 AI를 가장 잘 쓰는 학생'이 되도록 AI 기술을 활용해 공교육을 정상화해야 한다. 지금이야말로 교육개혁 성공을 위한 정책 설계를 완전히 새롭게 짜야 한다. 공교육을 받은 학생은 누구나 AI를 이해하고, 만들고, 활용할 수 있도록 공교육을 정상화하는 것이 정부가 추진하는 교육개혁의 핵심이어야 한다. 대한민국에서 공교육을 이수한 학생은 누구든지 AI 기술 활용으로 창업이 가능한 나라를 만들기가 국정 목표가 되어야 한다. 공교육에 AI 실제 체험 교육과정을 도입하면 좋은 일자리 창출, 스타트업 코리아 2030 실현으로 지속적 경제성장이 가능하기 때문이다.

AI 강국 토대를 다지는 대통령

AI 혁명 시대다. AI는 컴퓨터를 이용하여 인간의 뇌와 유사한 신경망을 구축하고 이해, 인지, 학습, 사고, 판단 등을 컴퓨터 프로그램으로 실현한 알고리즘이다. AI시대는 누구나, 언제나, 어디서나, 손쉽게 정보를 얻고 이용할 수 있다.

AI는 이미 우리 생활 깊숙이 스며들고 있다. 우리가 미처 인식하기도 전에 경제·사회·산업·문화 등 전반에 걸쳐 혁명적 변화를 불러오고 있다. 최근에는 ChatGPT 열풍에 전 세계가 열광하고 있다. 구글의 검색 시대는 저물고 AI 챗봇 시대의 서막이 올랐다. 미래는 AI 선도 국가가 지배한다. AI시대는 한 번 뒤떨어지면 영원히 따라갈 수 없다.

현재 미국과 중국은 저만치 앞서 달려가고 있다. AI 산업 분야에서 미국과 중국에 이은 'AI G3'로 우뚝 설 기회는 아직 남아있다. 사회·산업 전반에 걸쳐 AI를 확산시킬 절호의 기회가 지금이다. 인터넷 시대 우리는 소프트 역량은 부족하더라도 국

민이 IT를 활용하는 스킬이 뛰어나 IT 강국이 될 수 있었다. AI
는 특별한 집단이나, 특정한 장소에서만 사용되는 것이 아니다.
누구나 사용하는 언어와 같은 성격을 가진다.

AI의 개발은 기업이 담당하고 국민은 사용자 중심에서 활용
만 잘하면 된다. AI시대 AI를 가장 잘 쓰는 나라 만들기가 국가
비전이 되어야 한다.

'2030년 AI G3' 도약

산업화 시대인 1970년대 우수한 학생들이 이공계로 진학하
여 오늘날의 반도체, 디스플레이, 자동차 등 ICT 산업이 글로
벌 경쟁력을 갖게 된 원동력이다. 최근에는 성적 우수자들은 의
대로만 몰리고 있다. 미래 산업인 AI, 바이오, 양자, 우주 등 과
학기술 인재가 필요한 데 큰일이다. AI시대를 대비한 미래 인재
양성이 절실하다. 지금까지 한국경제의 성공 신화를 쓴 주역은
제조업·ICT 산업이며 그 핵심은 인재에 있었다.

전 세계가 ChatGPT 열풍에 휩싸인 지금이야말로 한국으로
선 절호의 기회다. 2030년 AI G3로 도약하기 위해선 어떻게 해
야 할까.

첫째, AI 인재 양성 및 연구 개발 지원이다. AI 인재를 양성하

고, 국내 AI 기업과 대학, 연구기관 등이 협력하여 AI 연구 개발에 적극적으로 참여할 수 있도록 지원을 강화해야 한다. 둘째, AI 산업 육성이다. AI 산업 분야에 대한 투자를 확대하고, 인프라 구축을 강화하여 AI 산업에서 선도적인 역할을 할 수 있도록 투자를 선택하고 집중해야 한다. 셋째, 데이터 및 개인정보 보호 강화다. AI를 활용한 새로운 서비스 및 기술을 개발하면서, 데이터 및 개인정보 보호를 강화해야 한다. 이를 위해 적극적인 법제도 개선과 보안 기술 개발이 필요하다. 넷째, 글로벌 네트워크 확장이나. 국내 AI 산업 기업들이 글로벌 시장에 진출할 수 있도록 적극적인 지원과 유연한 제도가 필요하다. 또한 국내 AI 산업 기업과 글로벌 AI 산업 기업 간의 협력을 적극적으로 유도해야 한다. 다섯째, 공공데이터 개방이다. 공공데이터를 개방하여 AI 분야에 활용할 수 있도록 지원해야 한다. 공공 기관에서 수집한 데이터를 개방하고, 이를 활용한 새로운 서비스 및 기술 개발을 적극적으로 유도해야 한다. 마지막으로, AI 윤리와 안전성 강화다. AI 기술의 안전성과 윤리적 문제에 관한 연구와 교육이 필요하다. 이를 통해 AI 기술의 발전이 사회적으로 수용이 가능한 범위 내에서 이루어지도록 한다.

이러한 정책들을 통해 교육개혁이 추진되어야 한다. 미·중이 AI 산업에 총력전을 펼치면서 국가대항전을 벌이고 있는데 한국은 진영 논리를 앞세워 정쟁에 몰두해 손을 놓고 있는 안타까운 상황이다.

정치개혁에 AI를 활용하는 것을 제안한다. 강한 AI 산업이 강한 경제를 만든다. 'AI G3' 도약의 핵심은 미래 인적 자원과 정부 규제 인프라 구축에 있다. 산업화 시대는 경부고속도로, 인터넷 시대는 인터넷 고속도로를 깔았다. 경부고속도로 및 정보고속도로를 통해 한국경제는 눈부시게 발전했다. 이제는 AI시대다. AI 고속도로 건설에 전력을 쏟아야 미래가 있다. AI 고속도로 구축은 미래세대의 희망이며 일거리다.

산업화 시대 한강의 기적을 이끈 박정희 전 대통령, 인터넷 혁명의 물결에 올라타 'IT 강국'의 길을 개척한 김대중 전 대통령의 업적은 역사적 의미가 있다. AI 혁명 시대 'AI G3' 도약을 위한 'AI 대국'의 초석을 다지는 성공한 대통령이 나와야 한다. "이 나라는 털끝 하나라도 병들지 않은 것이 없다. 지금 당장 개혁하지 않으면 나라가 망하고 나서야 그칠 것이다." 200년 전 조선시대 정약용이 《경세유표(經世遺表)》 서문에 쓴 경고는 작금의 우리 현실에 딱 맞는다. 새겨들어야 한다.

이 책은 이미 출간된 AI 한국경영 지도자 편, 정책제언 편, 국정운영 편, 미래비전 편, 뉴거버넌스 편, ChatGPT 시대에 묻는 교육의 미래 편에 이은 7번째인 AX 교육혁명 반값 사교육 편이다. AI시대, ChatGPT가 몰고 올 미래교육 혁명 물결에 한국교육이 나아갈 방향을 제시했다. 집필 의도는 AX시대의 교육개혁에 성공해야 '2030년 AI G3 도약'이 가능하다는 점을 강조하기 위해서다.

1부는 '한국교육이 묻고 BARD가 답하다'로 구성했다. 1장은 교육의 대부인 소크라테스의 가르침, 2장은 동·서양 교육의 차이, 3장은 한국교육의 역사에 관해 기술했다. 2부는 '대한민국 미래는 교육에 달렸다'라는 주제로 1장 교육은 미래다, 2장 공교육 정상화, 3장 사교육 없는 시대, 4장 AX시대 교육개혁, 5장 민생과 교육개혁의 연관성에 관해 설명했다. 3부는 정책 제언이다. 1장 디지털 교수학습 플랫폼 구축, 2장 랜섬웨어 공격에 학교가 위험하다, 3장 학폭 예방 상담 플랫폼 AI 챗봇 솔루션, 4장 ChatGPT가 몰고 온 교육혁명에 관해 제안했다.

책을 집필하면서 세계적인 석학들의 좋은 글을 인용하거나 참고했음을 밝힌다. 여러 조각을 합쳐 새로운 그림을 만들 수 있다는 생각에서다. 널리 이해해 주시기를 바란다. 부디 이 책을 읽고 교육개혁에 성공한 정부가 나오길 간절히 바란다.

2024년 1월 1일
지은이 朴正一

교육혁명
반값 사교육 편

AX(AI Transformation) Educational Revolution :
Half Price Private Education.

목차

1부. 한국교육이 묻고 BARD가 답하다

아리스토텔라스의 교육철학은?
아리스토텔레스는 미래교육을 어떻게 정의할까?

2부. 교육은 미래다

1장. 교육은 미래다 ·········97

2장. 공교육 정상화 ·········121

3부. 정책제언

제1부

●

한국교육이 묻고

BARD

가 답하다

1장.
소크라테스(Socrates)의 가르침

Q. 소크라테스는 누구인가?

BARD

소크라테스는 기원전 470년경에 아테네에서 태어나 기원전 399년경에 아테네에서 사망한 고대 그리스의 철학자다. 소크라테스는 플라톤과 아리스토텔레스의 스승으로 서양 철학의 아버지로 여겨진다.

소크라테스는 어떤 저서도 남기지 않았지만, 그의 제자인 플라톤과 아리스토텔레스의 저서를 통해 그의 사상을 엿볼 수 있다. 소크라테스의 사상은 다음과 같은 특징이 있다.

— 지식은 이미 우리 안에 존재하고 있으며, 교육은 그 지식을 깨우는 과정이다.
— 교육의 방법으로 질문과 대화를 사용했다.
— 학생들이 스스로 생각하고 답을 찾아내는 교육을 강조했다.
— 교육의 목적은 덕과 지혜를 갖춘 사람이 되도록 하는 것이라고 믿는다.

소크라테스의 사상은 서양 철학의 발전에 큰 영향을 미쳤다. 교육철학은 학생들이 스스로 생각하고, 답을 찾아내는 교육의 중요성을 강조했다. 또한, 그는 교육의 목적을 덕과 지혜를 갖춘 사람이 되도록 하는 것이라고 강조했다. 소크라테스의 사상은 오늘날에도 여전히 많은 교육자가 존경하고 따르고 있다.

소크라테스는 질문을 통해 배우는 대화법인 소크라테스식 방법론의 창시자다. 그는 진리를 찾기 위해서는 자신이 모르는 것을 인정하고 질문을 통해 배우는 것이 중요하다고 믿었다.

한
줄
평

2500년 전 소크라테스는 "학생 스스로 생각하고 답을 찾는 창의성 교육"을 주장했다.

Q. 소크라테스는 교육을 어떻게 정의했나?

BARD

소크라테스는 교육을 "무지를 깨우는 것"이라고 정의했다. 그는 지식은 이미 우리 안에 존재하고 있으며, 교육은 그 지식을 깨우는 과정이라고 믿었다. 소크라테스의 교육철학은 다음과 같은 특징이 있다.

　—질문과 대화를 통한 교육
　—학생들이 스스로 생각하고 답을 찾아내는 교육
　—교육의 목적은 덕과 지혜를 갖춘 사람이 되도록 하는 것

소크라테스는 교육의 방법으로 질문과 대화를 사용했다. 그는 질문을 통해 학생들이 스스로 생각하고, 답을 찾아내도록 했다. 소크라테스는 교육의 목적을 덕과 지혜를 갖춘 사람이 되도록 하는 것이라고 믿었다. 그는 교육을 통해 학생들이 올바른 삶을 살 수 있도록 도와야 한다고 생각했다. 소크라테스의 교육

사상은 서양 교육의 발전에 큰 영향을 미쳤다.

한
줄
평

교육의 목적은 덕과 지혜를 갖춘 사람이 되도록 하는 것

Q. 소크라테스가 남긴 교육에 대한 명언은?

BARD

—진리는 질문을 통해 발견된다.

—아는 것보다 모르는 것을 아는 것이 더 중요하다.

—교육의 목적은 덕과 지혜를 갖춘 사람이 되도록 하는 것이다.

—교육이란 그릇에 물을 채워주는 것이 아니라 불꽃을 일으키는 불쏘시개와 같다.

—나는 단 한 가지 사실만은 분명히 알고 있는데, 그것은 내가 아무것도 알지 못한다는 것이다.

소크라테스의 교육 명언은 오늘날에도 여전히 많은 교육자가 존경하고 따르고 있다. 소크라테스의 교육 명언은 학생들이 스스로 생각하고, 답을 찾아내는 교육의 중요성을 강조하며 교육의 목적은 덕과 지혜를 갖춘 사람이 되도록 하는 것이다.

교육은 그릇을 채우는 것이 아니라 불꽃을 지피는 것

Q. 소크라테스가 미래교육을 정의한다면?

BARD

소크라테스가 생각하는 미래 교육은 학생들이 자기 생각을 통해 세상을 이해하고, 도덕적으로 행동하고, 건설적으로 세상에 참여할 수 있도록 돕는 것이다.

　—학생들이 창의적이고 비판적이며 협력적인 사고력을 개발할 수 있도록 돕는 것이다.
　—학생들이 다양한 문화와 배경을 가진 사람들과 소통하고 협력할 수 있도록 돕는 것이다.
　—학생들이 지속가능한 삶의 방식을 개발하고, 미래의 도전에 대처할 수 있도록 돕는 것이다.

소크라테스는 미래 교육이 학생들이 세상에서 성공하고 행복한 삶을 살 수 있도록 돕는 데 필수적이라고 믿었다. 그는 교육이 학생들의 잠재력을 최대한 발휘할 수 있도록 도와야 한다고 주장했다. 또한 교육이 학생들이 세상을 더 나은 곳으로 만들 수 있도록 도와야 한다고 강조했다.

소크라테스의 미래교육에 대한 철학은 오늘날에도 여전히 유효하다. 미래 교육은 학생들이 자기 생각을 통해 세상을 이해하고, 도덕적으로 행동하고, 건설적으로 세상에 참여하는 것이다. 미래 교육은 학생들이 창의적이고 비판적이며 협력적인 사고력을 계발하는 것이다. 미래 교육은 학생들이 다양한 문화와 배경을 가진 사람들과 소통하고 협력하는 것이다. 미래 교육은 학생들이 지속가능한 삶의 방식을 개발하고, 미래의 도전에 대처할 수 있도록 준비하는 것이다.

한
줄
평

미래 교육은 학생들이 창의적이고 비판적이며 협력적인 사고력을 계발하는 것

Q. 소크라테스가 생각하는 한국교육의 문제점은?

BARD

소크라테스는 한국교육의 문제점을 다음과 같이 말할 것이다.

—너무 경쟁적이다. 학생들은 시험을 잘 보아야 좋은 대학에 갈 수 있고, 좋은 대학에 가야 좋은 직장에 취직할 수 있다. 이에 따라 학생들은 스트레스를 많이 받고, 창의력을 발휘할 기회를 잃게 된다.

—너무 암기 위주다. 학생들은 시험에서 좋은 점수를 받기 위해 많은 양의 지식을 암기해야 한다. 이에 따라 학생들은 사고력을 개발할 기회를 잃게 된다.

—너무 입시 위주다. 학생들은 대학 입시를 준비하기 위해 많은 시간을 보내야 한다. 이에 따라 학생들은 다양한 경험을 할 기회를 잃게 된다.

소크라테스는 교육이 학생들이 세상에서 성공하고 행복한 삶을 살 수 있도록 돕는 데 필수적이라고 생각했다. 그는 교육이 학생들이 잠재력을 최대한 발휘할 수 있도록 도와야 한다고 믿었다. 또한 교육이 학생들이 세상을 더 나은 곳으로 만들 수 있도록 도와야 한다고 주장했다.

그러나 오늘날의 한국교육은 이러한 목표를 달성하지 못하고 있다. 한국교육은 너무 경쟁적이고, 암기 위주이며, 입시 위주로 고착되었다. 이에 따라 학생들은 스트레스를 많이 받고, 사고력을 개발할 기회를 잃게 되었다.

소크라테스는 한국교육이 학생들이 세상에서 성공하고 행복한 삶을 살 수 있도록 돕기 위해서는 경쟁을 줄이고, 암기 위주 교육을 줄이고, 입시 위주 교육을 줄여야 한다고 말할 것이다.

그는 또한 교육이 학생들이 자기의 잠재력을 최대한 발휘할 수 있도록 도와야 하고, 학생들이 세상을 더 나은 곳으로 만들 수 있도록 기회를 주어야 한다고 주장할 것이다.

한
줄
평

암기 위주, 입시 위주의 경쟁적 교육으로는 더 좋은 세상을 만들 수 없음

Q. 소크라테스가 한국교육에 관해 조언한다면?

BARD

다음과 같은 것들을 강조할 것이다.

—학생들이 질문을 통해 배우도록 격려하라.
—학생들이 자기의 생각을 표현하고 토론할 수 있도록 지도해라.
—학생들이 다른 사람들의 관점을 이해하고 존중하도록 가르쳐라.
—학생들이 창의적이고 독립적으로 생각하도록 유도하라
—학생들이 윤리와 도덕에 대해 배울 수 있도록 교육환경을 조성하라

소크라테스는 교육은 학생들이 진리를 찾고 훌륭한 시민이 되는 데 도움이 되어야 한다고 믿었다. 그는 교육은 학생들의 지식과 능력을 향상하는 것뿐만 아니라, 학생들이 세상을 더 나

은 곳으로 만들 수 있도록 도와주는 것이 중요하다고 강조했다.

우리는 학생들이 질문을 통해 배우고, 자기의 생각을 표현하고, 다른 사람들의 관점을 이해하고, 창의적이고 독립적으로 생각하도록 격려해야 한다. 또한, 우리는 학생들이 윤리와 도덕에 관해 배울 수 있도록 해야 한다. 이러한 교육은 학생들이 진실을 찾고 훌륭한 시민이 되는 데 도움이 될 것이다.

한
줄
평

교육은 학생들이 더 좋은 세상을 만들 수 있도록 도와주는 것

Q. 소크라테스가 교육 책임자라면 어떻게 할까?

BARD

다음과 같은 일을 할 것이다.

- 학생들의 스트레스를 줄이기 위해 경쟁, 암기 위주 교육, 입시 위주 교육을 줄일 것이다.
- 학생들이 자기의 잠재력을 최대한 발휘할 수 있도록 도와주기 위해 창의적이고 비판적이며 협력적인 사고력을 개발할 수 있도록 학교 커리큘럼을 만들 것이다.
- 학생들이 세상을 더 나은 곳으로 만들 수 있도록 도와주기 위해 다양한 문화와 배경을 가진 사람들과 소통하고 협력할 수 있도록 교육 프로그램을 운영할 것이다.
- 지속가능한 삶의 방식을 개발하고, 미래의 도전에 대처할 수 있도록 교육할 것이다.

소크라테스는 교육이 학생들이 세상에서 성공하고 행복한 삶을 살 수 있도록 돕는 데 필수적이라고 믿었다. 그는 교육이 학생들이 자기의 잠재력을 최대한 발휘할 수 있도록 도와야 한다고 주장했다. 그는 또한 교육이 학생들이 세상을 더 나은 곳으로 만들 수 있도록 도와야 한다고 주장한다.

한
줄
평

교육은 학생들이 자기의 잠재력을 최대한 발휘할 수 있도록 도와주는 것

Q. 소크라테스가 교육연구원장이라면?

BARD

소크라테스는 질문과 토론을 통해 진리를 탐구하는 방법인 소크라테스식 교육의 창시자이다. 그는 교육이 개인의 지식과 이해를 개발하는 데 중점을 두어야 한다고 믿었다. 소크라테스가 교육연구원장이라면 연구의 방향을 다음과 같이 잡을 것이다.

—교육의 목적은 개인의 지식과 이해를 개발하는 것이다.
—교육은 질문과 토론을 통해 이루어져야 한다.
—교육은 개인의 경험과 문화를 고려해야 한다.
—교육은 개인의 창의성과 문제해결 능력을 개발해야 한다.
—교육은 개인의 사회적 책임감을 개발해야 한다.

소크라테스는 교육이 개인의 삶을 풍요롭게 하고 사회를 발전시키는 데 필수적이라고 믿었다. 그는 교육연구원장으로서 교육의 목적과 방법에 대한 자신의 철학을 실현하고자 할 것이다. 구체적으로, 소크라테스는 다음과 같은 연구를 진행하고자 할 것이다.

－질문과 토론을 통해 지식과 이해를 개발하는 교육 방법에 관한 연구
－개인의 경험과 문화를 고려하는 교육 방법에 관한 연구
－개인의 창의성과 문제해결 능력을 개발하는 교육 방법에 관한 연구
－개인의 사회적 책임감을 개발하는 교육 방법에 관한 연구

소크라테스는 이러한 연구를 통해 미래교육의 방향을 제시하고, 개인과 사회의 발전에 이바지하고자 할 것이다.

한
줄
평

창의적 문제해결 능력을 개발하는 교육 방법에 관한 연구에 집중할 것

Q. 플라톤의 교육철학은?

BARD

플라톤의 교육철학은 그의 철학사상과 밀접하게 연관되어 있다. 플라톤은 이데아론을 바탕으로 현실 세계는 불완전한 것이고, 이데아의 세계에 다가가기 위해서는 교육이 필요하다고 생각했다. 플라톤의 교육철학은 다음과 같은 특징을 가지고 있다.

—교육의 목적은 이데아의 세계에 다가가는 것이다.
—교육은 질문과 토론을 통해 이루어져야 한다.
—교육은 개인의 지식과 이해를 개발해야 한다.
—교육은 개인의 창의성과 문제해결 능력을 개발해야 한다.
—교육은 개인의 사회적 책임감을 개발해야 한다.

플라톤은 교육이 개인의 삶을 풍요롭게 하고 사회를 발전시키는 데 필수적이라고 믿었다. 그는 교육의 목적과 방법에 대한 자신의 철학을 실현하기 위해 아카데미를 설립했다.

아카데미는 플라톤의 사상과 교육철학을 실천하는 곳으로, 고대 그리스의 지식인들이 모여 학문을 연구하고 토론하는 장소였다.

플라톤의 교육철학은 오늘날에도 여전히 유효하다. 플라톤의 교육철학은 개인의 지식과 이해를 개발하고, 개인의 창의성과 문제해결 능력을 개발하며, 개인의 사회적 책임감을 개발하는 데 도움이 된다. 플라톤의 교육철학은 개인과 사회의 발전에 이바지하는 중요한 요소이다.

한
줄
평

교육은 개인의 사회적 책임감을 개발해야 함

Q. 플라톤의 이데아론이란?

BARD

플라톤의 이데아론은 플라톤의 철학사상 중 가장 중요한 개념의 하나다. 이데아론은 플라톤이 처음 주장한 형이상학 이론으로, 이데아는 현상 세계 밖의 세상이며 이데아는 모든 사물의 원인이자 본질이라고 주장한다.

플라톤은 이데아를 통해 현실 세계의 모든 사물은 불완전하고 변하지 않는 이데아의 세계를 향해 나아가고 있다고 주장했다. 그는 또한 이데아는 오로지 인간의 이성으로만 알 수 있다고 주장했다.

플라톤의 이데아론은 오늘날에도 여전히 많은 철학자와 사상가들에게 영향을 미치고 있다. 이데아론은 현실 세계의 모든 사물의 본질과 의미를 이해하는 데 도움을 줄 뿐만 아니라, 개인의 삶의 목적과 의미를 찾는 데에도 도움이 된다.

플라톤의 이데아론은 교육과 밀접한 관련이 있다. 플라톤은 이데아를 통해 현실 세계의 모든 사물은 불완전하고 변하지 않는 이데아의 세계를 향해 나아가고 있다고 주장했다. 그는 또한 이데아는 오로지 인간의 이성으로만 알 수 있다고 주장했다.

플라톤은 교육이 개인의 이성을 개발하고, 개인이 이데아를 이해하는 데 도움을 주어야 한다고 생각했다. 그는 교육의 목적은 개인이 이데아의 세계에 다가가는 것이라고 주장했다.

한
줄
평

교육은 개인의 이성을 개발하고 이데아의 세계에 다가가는 것

Q. 아리스토텔레스의 교육철학은?

BARD

아리스토텔레스의 교육철학은 그의 철학사상과 밀접하게 연관되어 있다. 아리스토텔레스는 이성적 동물인 인간이 자신의 본성에 따라 살기 위해서는 교육이 필요하다고 생각했다. 아리스토텔레스의 교육철학은 다음과 같은 특징을 가지고 있다.

- 교육의 목적은 인간이 자신의 본성에 따라 살 수 있도록 하는 것이다.
- 교육은 질문과 토론을 통해 이루어져야 한다.
- 교육은 개인의 지식과 이해를 개발해야 한다.
- 교육은 개인의 창의성과 문제해결 능력을 개발해야 한다.
- 교육은 개인의 사회적 책임감을 개발해야 한다.

아리스토텔레스는 교육이 개인의 삶을 풍요롭게 하고 사회를 발전시키는 데 필수적이라고 믿었다. 그는 교육의 목적과 방법에 대한 자신의 철학을 실현하기 위해 리케이온을 설립했다. 리케이온은 아리스토텔레스의 사상과 교육철학을 실천하는 곳으로, 고대 그리스의 지식인들이 모여 학문을 연구하고 토론하는 장소이다.

아리스토텔레스의 교육철학은 오늘날에도 여전히 유효하다. 아리스토텔레스의 교육철학은 개인의 지식과 이해를 개발하고, 개인의 창의성과 문제해결 능력을 개발하며, 개인의 사회적 책임감을 개발하는 데 도움이 된다. 아리스토텔레스의 교육철학은 개인과 사회의 발전에 이바지하는 중요한 요소이다

한
줄
평

아리스토텔레스의 교육철학은 개인과 사회의 발전에 이바지하는 중요한 요소

Q. 아리스토텔레스는 미래교육을 어떻게 정의할까?

BARD

아리스토텔레스는 미래 교육이 지식과 기술을 습득하는 것뿐만 아니라, 시민으로서 훌륭한 삶을 살 수 있도록 도와주는 교육이어야 한다고 주장했다. 그는 미래 교육은 학생들이 자유롭게 생각하고, 비판적으로 사고하고, 창의적으로 문제를 해결할 수 있도록 가르쳐야 한다고 믿었다. 또한, 미래 교육은 학생들이 다른 문화를 이해하고, 타인을 존중하는 마음을 가질 수 있도록 가르쳐야 한다고 주장했다.

아리스토텔레스는 미래 교육이 학생들이 미래 사회를 이끌어 갈 리더로 성장할 수 있도록 도와주는 교육이어야 한다고 믿었다. 그는 미래 교육은 학생들이 세상을 변화시키고, 더 나은 세상을 만들 수 있는 힘을 키워주어야 한다고 주장했다.

아리스토텔레스는 미래 교육을 학생들이 미래 사회를 이끌어 갈 리더로 성장할 수 있도록 도와주는 교육이라고 정의한다. 미래 교육은 학생들이 자유롭게 생각하고, 비판적으로 사고하고,

창의적으로 문제를 해결할 수 있도록 가르쳐야 한다. 또한, 미래 교육은 학생들이 다른 문화를 이해하고, 타인을 존중하는 마음을 가질 수 있도록 가르쳐야 한다고 주장했다.

한
줄
평

학생들이 다른 문화를 이해하고 타인을 존중하는 마을을 가져야 한다고 주장

2장.

동·서양 교육의 차이

Q. 교육이 출현한 배경은?

BARD

교육이 출현한 배경은 매우 오래전으로 거슬러 올라간다. 인류의 역사에서 교육은 언제나 중요한 부분을 차지해 왔다. 교육의 출현 배경은 다음과 같다.

인간은 본래 배우고, 배우는 것을 좋아하는 존재이다. 교육은 인간에게 지식과 기술을 제공하여 사회에 적응하고, 살아가는 데 도움이 된다. 교육은 인간의 가치관을 형성하고, 도덕적인 인간으로 성장하도록 도와준다. 교육은 인간의 창의성을 발휘하고, 새로운 것을 창조하도록 도와준다.

교육은 개인과 사회의 발전에 중요한 역할을 한다. 교육을 통해 개인은 자기의 잠재력을 개발하고, 사회는 발전할 수 있다. 교육은 미래를 위해 중요한 투자이다.

한
줄

평

교육은 미래를 위해 중요한 투자

Q. 교육의 역사에 대해 말해줘

BARD

교육의 역사는 오래되었으며, 그 역사는 인류의 역사와 함께한다. 교육은 인류가 사회를 유지하고 발전시키는 데 필요한 지식과 기술을 전수하는 과정이다. 교육은 고대부터 존재해 왔으며, 그 형태는 시대와 지역에 따라 다양하다.

고대 이집트, 바빌로니아, 인도, 중국 등에서는 신전이나 사원에서 교육이 이루어졌다. 이 교육은 주로 귀족이나 특권층을 대상으로 종교, 역사, 문학, 과학 등 다양한 분야를 포함했다.

중세에는 교회가 교육의 중심 역할을 했다. 교회에서는 성경, 신학, 라틴어 등 다양한 분야를 가르쳤다. 중세 말에는 대학이 설립되기 시작했으며, 대학은 고등 교육의 중심지가 되었다.

근대에는 국가가 교육의 주도권을 잡기 시작했다. 국가는 국민을 훈련하고, 사회를 발전시키기 위해 교육을 이용했다. 근대에는 공립학교가 설립되고, 의무교육이 시행되었다.

현대에는 교육이 더욱 중요해졌다. 현대 사회는 복잡하고 변화가 빠르므로 학생들은 다양한 지식과 기술을 습득해야 한다. 현대에는 대학 진학률이 높아지고, 평생 교육이 활성화되고 있다.

교육은 인류의 발전에 중요한 역할을 해왔다. 교육은 인류의 삶의 질을 높이고, 사회의 발전을 촉진한다.

한
줄
평

교육은 인류의 삶의 질을 높이고, 사회의 발전을 촉진

Q. 교육의 개념과 목적에 관해 설명해줘

BARD

교육의 개념은 개인이나 집단이 가진 지식, 기술, 가치관 등을 대상자에게 바람직한 방향으로 가르치고 배우는 활동이다. 교육은 피교육자가 더 나은 생활을 영위하기 위해, 또한 그로 인하여 사회가 유지·발전될 수 있도록 피교육자가 가진 능력을 끌어내고, 새로운 지식이나 기능을 습득하게 하는 활동이라고 설명하기도 한다.

넓은 의미로는, '개인의 정신, 성격, 능력의 형성에 영향을 주는 모든 행위와 경험'을 교육으로 본다.

교육의 목적은 다음과 같다.

—개인의 자아실현
—사회의 발전
—국가의 경쟁력 강화
—평화로운 세계 건설

교육은 개인의 삶의 질을 높이고, 사회의 발전을 촉진하며, 국가의 경쟁력을 강화하고, 평화로운 세계를 건설하는 데 중요한 역할을 한다.

교육의 목적은 시대와 사회의 변화에 따라 달라질 수 있다. 예를 들어, 산업화 시대에는 교육의 목적이 산업 발전에 필요한 인재를 양성하는 데 있었다. 그러나 현대 사회에서는 교육의 목적이 개인의 자아실현과 사회의 발전을 함께 추구하는 데 있다.

교육은 개인과 사회 모두에게 중요한 역할을 한다. 교육은 개인의 삶의 질을 높이고, 사회의 발전을 촉진하며, 평화로운 세계를 건설하는 데 이바지한다. 따라서 교육은 모든 사람에게 필수적인 권리입니다.

한
줄
평

교육은 모든 사람에게 필수적인 권리

Q. 동양 교육의 특징은?

BARD

아시아 교육은 종교, 역사, 문화 등 다양한 요인에 의해 영향을 받았다. 따라서 아시아 국가마다 교육 시스템이 다르지만, 일반적으로 다음과 같은 특징을 가지고 있다.

—정서 교육에 중점을 둔다. 동양 교육은 학생들의 정서적 성장과 발달을 중요하게 생각한다. 학생들이 자신의 감정을 이해하고 조절하는 방법을 배우도록 돕고, 타인을 배려하고 존중하는 마음을 기르는 데 중점을 둔다.

—집단주의를 강조한다. 동양 사회는 집단주의 문화를 가지고 있다. 따라서 아시아 교육은 학생들이 집단의 일원으로서 책임감과 협동심을 갖도록 가르친다.

—경쟁을 장려한다. 동양 사회는 경쟁적인 문화를 가지고 있다. 따라서 아시아 교육은 학생들이 경쟁을 통해 자기 능력을 향상하고 성취하도록 장려한다.

—성실을 강조한다. 아시아 사회는 성실의 중요성을 강조한
다. 따라서 아시아 교육은 학생들이 성실하게 공부하고 노
력하도록 가르친다.

아시아 교육은 아시아 국가의 경제성장과 발전에 큰 기여를
했다. 아시아 국가들은 교육을 통해 인적 자원을 개발하고, 기
술을 습득하여 경제 경쟁력을 높일 수 있었다. 앞으로도 동양
교육은 아시아 국가의 발전에 중요한 역할을 할 것이다.

한
줄
평

동양 사회는 교육을 통해 인적 자원을 개발, 경제발전에 기여

Q. 서양 교육의 특징은?

BARD

서양 교육은 아시아 교육과는 다른 특징을 가지고 있다.

- —개별주의를 강조한다. 서양 사회는 개별주의 문화를 가지고 있다. 따라서 서양 교육은 학생들이 개인의 자율성과 독립성을 갖도록 가르친다.
- —비판적 사고를 장려한다. 서양 교육은 학생들이 비판적 사고력을 키우고, 스스로 판단하고 결정할 수 있도록 가르친다.
- —창의성을 장려한다. 서양 교육은 학생들이 창의력을 키우고, 새로운 것을 만들어 낼 수 있도록 가르친다.
- —실용성을 강조한다. 서양 교육은 학생들이 실용적인 지식을 습득하고, 사회에 나가서 바로 활용할 수 있도록 가르친다.

서양 교육은 동양 교육과는 다른 특징을 가지고 있지만, 두

교육 시스템은 서로 보완적인 역할을 한다. 동양 교육은 학생들의 정서적 성장과 발달을 돕고, 서양 교육은 학생들의 개별주의, 비판적 사고, 창의성, 실용성을 키워준다. 두 교육 시스템이 함께 발전한다면, 학생들은 더 나은 인재로 성장할 수 있을 것이다.

한
줄
평

서양 교육은 비판적 사고 창의성, 실용성에 중점

Q. 동·서양 교육의 차이점은?

BARD

동양과 서양의 교육은 여러 가지 측면에서 차이가 있다. 큰 차이점 중 하나는 교육의 목적이다. 동양의 교육은 주로 개인의 도덕적, 정신적 성장을 목표로 하는 반면, 서양의 교육은 주로 개인의 지적 성장을 목표로 한다. 이러한 차이는 교육의 내용, 방법, 평가 방식에도 반영된다.

동양의 교육은 주로 고전 문학과 철학에 기반을 두고 있다. 학생들은 고전 문학과 철학을 통해 도덕적 가치와 정신적 지침을 배우게 된다. 또한, 동양의 교육은 주로 체험학습과 토론식 수업에 중점을 둔다. 이러한 수업방식은 학생들이 스스로 생각하고 판단하는 능력을 키우는 데 도움이 된다.

서양의 교육은 주로 과학과 기술에 기반을 두고 있다. 학생들은 과학과 기술을 통해 세상을 이해하고 문제를 해결하는 능력을 배운다. 또한, 서양의 교육은 주로 시험과 숙제에 중점을 둔다. 이러한 평가 방식은 학생들이 지식을 얼마나 많이 암기했는지 측정하는 데 도움이 된다.

　동양과 서양의 교육은 각각의 장단점이 있다. 동양의 교육은 학생들의 도덕적, 정신적 성장에 도움이 되지만, 실용적인 기술을 배우는 데는 다소 부족할 수 있다. 서양의 교육은 학생들이 실용적인 기술을 배우는 데 도움이 되지만, 도덕적, 정신적 성장에 다소 부족할 수 있다.

　어떤 교육이 더 낫다고 단정 짓기는 어렵다. 각 교육의 장단점을 고려하여 학생의 특성에 맞는 교육을 선택하는 것이 중요하다.

한
줄
평

동서양 교육의 장단점을 조화롭게 반영해야 한다.

3장.

한국교육의 역사

Q. 대한민국 교육의 목적은 무엇인가?

BARD

대한민국 교육의 목적은 「교육기본법」 제2조에 따라 다음과 같다.

- 인격을 도야(陶冶)하고 자주적 생활 능력과 민주시민으로서 필요한 자질을 갖게 함으로써 인간다운 삶을 영위하게 하고, 민주국가의 발전과 인류공영의 이상을 실현하는 데에 이바지하게 함.
- 모든 국민이 평생에 걸쳐 학습하고, 능력과 적성에 따라 교육받을 권리를 보장
- 모든 국민이 성별, 종교, 신념, 인종, 사회적 신분, 경제적 지위 또는 신체적 조건 등을 이유로 교육에서 차별받지 아니하게 함.

대한민국의 교육은 개인의 자아실현과 사회의 발전을 함께

추구하는 데 있다. 교육은 개인의 삶의 질을 높이고, 사회의 발전을 촉진하며, 평화로운 세계를 건설하는 데 이바지한다.

한
줄
평

국민이 평생에 걸쳐 학습하고, 능력과 적성에 따라 교육받을 권리를 보장

Q. 홍익인간(弘益人間) 이념이란?

BARD

홍익인간은 대한민국의 비공식적인 국시로, "널리 인간 세상을 이롭게 하라" 또는 "(당시 부족사회의) 모든 사람이 어우러져 행복하게 하라"라는 뜻으로 해석된다. 한반도 최초의 나라로 여겨지는 고조선의 건국 신화에서, 천신인 환웅(桓雄)이 인간 세상에 내려와 시조 단군을 낳고 나라를 열 때 '널리 인간을 이롭게(弘益人間)' 한다는 (전근대적 관점이 담긴 해석) 등의 건국 이념을 갖고 있었다고 고려시대 일연의 '삼국유사'와 이승휴의 '제왕운기' 등에서 확인되고 있다.

《고조선의 건국이념》 참고 해석

  —홍익인간(弘益人間) : (당시 부족사회의) 모든 사람이 어우러져 행복하게 한다.
  —재세이화(在世理化) : (그러한 홍익인간의) 진리가 세상에

있도록 만든다.

— 이도여치(以道輿治) : (그러한 정신을 계승하여 갈등과 병폐를) 사람의 길로 이끌게 한다.

— 광명이세(光明理世) : 깨달음으로 세상을 밝게 만든다.

'홍익인간'이라는 말은《삼국유사》의 단군신화에 나오는데 "옛날 환인(桓因)의 서자(庶子) 환웅(桓雄)이 천하에 뜻을 두고 자주 인간 세상을 탐내어 찾았다. 아버지가 아들의 뜻을 알고 아래로 삼위태백(三危太伯)을 굽어보니 인간을 널리 유익하게(弘益人間) 할 수 있었다. 그리하여 천부인(天符印) 3개를 주어 인간 세계로 보내 다스리게 하였다"라는 문장에서 비롯된 것이다.

홍익인간은 고조선의 건국이념이자 대한민국의 교육법이 정한 교육의 기본 이념이다. 대한민국의 건국이념인 홍익인간은 널리 인간을 이롭게 한다는 뜻으로, 모든 사람이 행복하고 평화롭게 살아가기를 바라는 마음에서 비롯된 것이다. 홍익인간은 대한민국의 교육의 기본 이념이기도 하며, 모든 국민이 홍익인간 정신을 바탕으로 배움과 성장을 통해 사회에 이바지할 수 있도록 교육하고 있다.

한
줄
평

홍익인간은 널리 인간을 이롭게 한다는 뜻

Q. 삼국시대의 교육은?

BARD

고구려, 백제, 신라의 교육은 유교와 불교의 영향을 받아 발전했다.

고구려는 372년 태학을 세워 국가에서 운영하는 최초의 학교를 설립했다. 태학은 유교 경전을 중심으로 교육을 시행했으며, 귀족 자제들이 주로 입학했다.

백제는 384년 오경박사를 설치하여 유교 경전을 가르쳤다.

신라는 540년 화랑도를 창설하여 무예와 인성 교육을 시행했다. 화랑도는 귀족 자제들뿐만 아니라 평민 자제들도 입학할 수 있었다.

고구려, 백제, 신라의 교육은 모두 문무를 겸비한 인재를 양성하는 데 중점을 두었다. 고구려는 태학에서 유교 경전과 무예를 가르쳤으며, 백제는 오경박사에서 유교 경전을 가르쳤고, 신라는 화랑도에서 무예와 인성을 가르쳤다.

이러한 교육의 결과, 고구려, 백제, 신라는 모두 강력한 군사력을 갖춘 국가로 발전할 수 있었다.

고구려, 백제, 신라의 교육은 한국교육의 발전에 큰 영향을 미쳤다. 고구려의 태학, 백제의 오경박사, 신라의 화랑도는 모두 한국교육의 초석이 되었으며, 이후 한국의 교육은 이러한 초석을 바탕으로 발전해 왔다.

한
줄
평

삼국시대 교육은 문무를 겸비한 인재 양성에 초점

Q. 고려시대의 교육은?

BARD

고려시대의 교육은 유교 정치의 일환으로 중앙집권화 과정에서 확립되었다. 특히 과거제도의 발달로 교육의 기능은 그 준비 기관으로서 역할을 다하였고, 불교의 발달에 따라 사원 역시 민간 교육에 큰 기여를 하였다.

　고려시대의 교육기관은 국자감, 향교, 사원, 서당 등이 있었다. 국자감은 국가에서 운영하는 최고 교육기관으로, 유교 경전을 중심으로 교육을 시행했다. 향교는 지방에서 운영하는 교육기관으로, 국자감과 유사한 교육을 시행했다. 사원은 불교를 중심으로 교육을 시행하는 기관으로, 불교 경전과 인성 교육을 시행했다. 서당은 개인이 운영하는 소규모 교육기관으로, 기본적인 교육을 시행했다.

　고려시대의 교육은 과거제도와 밀접한 관련이 있었다. 과거제도는 관리를 선발하는 시험으로, 과거에 합격하면 관리로 임명될 수 있었다. 과거제도는 교육의 동기를 부여하고, 교육의 질을 향상하는 데 큰 역할을 했다.

　고려시대의 교육은 불교의 영향도 많이 받았다. 불교는 고려시대의 국교였으며, 불교는 교육의 내용과 방법에 많은 영향을 미쳤다. 불교는 인성 교육과 도덕 교육에 중점을 두었으며, 이러한 교육은 고려시대의 사회 질서 유지에 큰 역할을 했다.

　고려시대의 교육은 한국교육의 발전에 큰 영향을 미쳤다. 고려시대의 교육제도와 교육 내용은 조선시대의 교육제도와 교육 내용에 큰 영향을 미쳤으며, 이러한 영향은 오늘날의 한국교육에도 이어지고 있다.

한
줄
평

고려시대의 교육은 인성과 도덕 교육에 중점을 둠

Q. 조선시대의 교육은?

BARD

조선시대의 교육은 유교를 중심으로 이루어졌다. 조선의 교육 제도는 태종 14년(1392)에 확립되었으며, 성균관을 최고 교육기관으로 하여 학당과 향교, 서원, 서당 등이 설치되었다.

성균관은 국가에서 운영하는 최고 교육기관으로, 유학을 중심으로 교육을 시행했다. 향교는 지방에서 운영하는 교육기관으로, 성균관과 유사한 교육을 시행했다. 서당은 개인이 운영하는 소규모 교육기관으로, 기본적인 교육을 시행했다. 서원은 유학의 진흥을 목적으로 설립된 사립 교육기관으로, 성균관과 유사한 교육을 시행했다.

조선시대의 교육은 과거제도와 밀접한 관련이 있다. 과거제도는 관리를 선발하는 시험으로, 과거에 합격하면 관리로 임명될 수 있었다. 과거제도는 교육의 동기를 부여하고, 교육의 질을 향상하는 데 큰 역할을 했다.

조선시대의 교육은 유교의 영향을 많이 받았다. 유교는 조선의 정치철학이었으며, 교육의 내용과 방법에 많은 영향을 미쳤다. 유교는 인성 교육과 도덕 교육에 중점을 두었으며, 이러한 교육은 조선시대의 사회 질서 유지에 큰 역할을 했다.

조선시대의 교육은 한국교육의 발전에 큰 영향을 미쳤다. 조선시대의 교육제도와 교육 내용은 오늘날의 한국교육에도 많은 영향을 미치고 있다.

한
줄
평

과거제도는 교육의 동기를 부여하고 교육의 질을 향상시킴

Q. 개화기 교육은?

BARD

개화기 교육의 특징은 다음과 같다.

—서양식 교육제도의 도입
—신교육기관의 설립
—민족주의 교육의 강조
—교육의 대중화

개화기에는 서양식 교육제도가 도입되었다. 서양식 교육제도는 서양의 근대교육제도를 모델로 한 교육제도로, 개방과 근대화를 위한 인재를 양성하는 데 중점을 두었다. 서양식 교육제도의 도입으로 신교육기관이 설립되었다. 신교육기관은 서양식 교육을 시행하는 학교로, 개화기에는 서양식 학교, 기독교 학교, 사립학교 등이 설립되었다. 민족주의 교육은 개화기 교육의 중요한 특징 중 하나이다. 개화기에는 민족의 자주와 독립을 위해 민족주의 교육이 강조되었다.

민족주의 교육은 민족의 역사와 문화를 배우고, 민족의 정체성을 확립하는 데 중점을 두었다. 교육의 대중화는 개화기 교육의 또 다른 특징이다. 개화기에는 교육의 대중화를 위해 교육제도가 개편되고, 교육기관이 설립되었다. 이러한 노력의 결과, 개화기에는 교육의 기회가 확대되고, 교육의 질이 향상되었다.

개화기 교육은 한국교육의 발전에 큰 영향을 미쳤다. 개화기 교육제도와 교육 내용은 오늘날의 한국교육에도 많은 영향을 미치고 있다.

한
줄
평

교육의 대중화로 교육 기회가 확대되고 교육의 질이 향상

Q. 일제강점기의 교육은?

BARD

일제강점기의 교육은 일본 제국의 식민지 정책의 일환으로 시행된 교육이다. 일제는 조선의 교육을 통해 조선인들의 민족의식을 말살하고 일본인으로 동화시키려는 목적을 가지고 있었다. 따라서 일제강점기의 교육은 조선인의 민족 정체성을 훼손하고 일본의 식민 통치를 강화하는 데 중점을 두었다.

일제강점기 교육 특징은 다음과 같다.

—일본어 교육의 강조 : 일제는 조선인들에게 일본어를 강요하고, 일본어를 통해 일본의 역사와 문화를 가르쳤다.
—조선인의 민족 정체성 말살 : 일제는 조선인의 민족 정체성을 말살하기 위해 조선의 역사와 문화를 왜곡하고, 조선의 전통문화를 탄압했다.
—일본인으로의 동화 : 일제는 조선인들을 일본인으로 동화시키기 위해 조선인들에게 일본의 생활 방식과 가치관을

가르쳤다.

—교육의 중앙집권화 : 일제는 교육의 중앙집권화를 통해 조
선의 교육을 통제하고, 일제의 식민 정책을 효과적으로 추
진했다.

일제강점기의 교육은 조선인들에게 큰 고통을 안겨주었다.
일제강점기의 교육은 조선인의 민족 정체성을 말살하고, 조선
의 문화를 훼손했으며, 조선인들을 일본인으로 동화시키는 데
중점을 두었다. 이러한 일제강점기의 교육은 조선인들에게 큰
상처를 남겼으며, 그 상처는 아직까지도 우리 사회에 남아있다.

한
줄
평

**조선인의 민족 정체성을 말살하고 문화를 훼손하여 일본인으로
동화시키는 데 중점**

Q. 8.15 광복 이후 미 군정기 교육은?

BARD

8.15 광복 이후 교육은 일제강점기의 교육과는 매우 다른 특징을 가지고 있다. 광복 이후의 교육은 조선인의 민족 정체성을 회복하고, 조선의 문화를 발전시키는 데 중점을 두었다. 또한, 광복 이후의 교육은 민주적이고 평등한 교육을 추구했다.

광복 이후 교육의 특징은 다음과 같다.

—조선어 교육의 강조 : 광복 이후의 교육은 조선어 교육을 강조했다. 이는 조선인의 민족 정체성을 회복하고, 조선의 문화를 발전시키기 위한 목적이었다.

—조선의 역사와 문화 교육 : 광복 이후의 교육은 조선의 역사와 문화 교육을 강조했다. 이는 조선인의 민족 정체성을 회복하고, 조선의 문화를 발전시키기 위한 목적이었다.

—민주적이고 평등한 교육 : 광복 이후의 교육은 민주적이고 평등한 교육을 추구했다. 이는 조선인 모두가 동등한 교육

을 받을 수 있도록 하기 위한 목적이었다.

광복 이후의 교육은 조선인의 민족 정체성을 회복하고, 조선의 문화를 발전시키는 데 큰 역할을 했다. 광복 이후의 교육은 또한 민주적이고 평등한 교육을 추구함으로써, 조선인의 삶의 질을 향상하는 데 이바지했다.

한
줄
평

민족 정체성 회복하고 민주적이며 평등한 교육을 추구

Q. 정부수립 이후부터 1950년대까지
의 교육은?

BARD

대한민국 정부가 수립된 1948년 이후부터 1950년대까지의 교육 특징은 다음과 같다.

—6.25 전쟁으로 인한 교육의 혼란 : 6.25 전쟁으로 인해 많은 학교와 교육 시설이 파괴되었고, 많은 교사가 사망하거나 피난을 떠났다. 이에 따라 교육이 중단되거나 지연되었다.

—교육의 민주화 : 1948년 헌법은 모든 국민에게 교육을 받을 권리를 보장했다. 이로써 교육이 민주화되고 평등해졌다.

—교육의 양적 성장 : 정부는 교육의 양적 성장을 위해 노력했다. 그 결과, 초등학교 취학률이 증가하고, 곳곳에 중고등학교와 대학이 설립되었다.

—교육의 질적 향상 : 정부는 교육의 질적 향상을 위해 노력했다. 그 결과, 교과서가 개발되고, 교사 연수가 시행되었다.

1959년까지의 교육은 6.25 전쟁으로 인한 혼란 속에서도 민주화되고 평등해졌으며, 양적 성장과 질적 향상을 이루었다.

한
줄
평

교육이 양적, 질적으로 성장

Q. 1960년대~1970년대의 교육은?

BARD

1960년대와 1970년대의 교육은 다음과 같은 특징을 가지고 있다.

—양적 성장 : 정부는 경제 개발을 위해 교육의 양적 성장을 강조했다. 그 결과, 초등학교 취학률이 90%를 넘었고, 중학교와 고등학교의 졸업률이 증가했다.

—질적 향상 : 정부는 교육의 질적 향상을 위해 노력했다. 그 결과, 교과서가 개발되고, 교사 연수가 시행되었으며, 많은 대학이 설립되었다.

—교육의 민주화 : 정부는 교육의 민주화를 위해 노력했다. 그 결과, 남녀의 교육 기회가 평등해졌고, 농어촌 지역의 교육 수준이 향상되었다.

—교육의 과학화 : 정부는 교육의 과학화를 위해 노력했다. 그 결과, 교육 방법이 과학화되고, 교육 과정이 체계화되었다.

1960년대와 1970년대의 교육은 양적 성장과 질적 향상을 이루었다. 또한, 교육의 민주화와 과학화가 이루어졌다. 이러한 교육의 발전은 한국의 경제 발전과 사회 발전에 큰 기여를 했다.

한
줄
평

교육의 민주화와 과학화 추진으로 경제 발전에 기여

Q. 1980년대의 교육은?

BARD

1980년대의 교육은 양적 성장과 질적 향상을 이루었다. 또한, 교육의 민주화와 과학화가 이루어졌다. 그러나, 교육의 경쟁화로 인해 대학 입시 경쟁이 심화하고, 사교육이 증가하는 문제점이 발생했다.

한
줄
평

입시 경쟁으로 사교육이 심화하자 과외수업 전면 근절

Q. 1990년대의 교육은?

BARD

1990년대의 교육정책의 특징은 다음과 같다.

—교육의 자율화 : 정부는 교육의 자율화를 위해 노력했다. 그
결과, 학교 자율화, 교원 자율화, 교육 재정 자율화가 이루
어졌다.

—교육의 다양화 : 정부는 교육의 다양화를 위해 노력했다. 그
결과, 특성화 고등학교, 마이스터고등학교, 자율형 사립고
등학교, 특목고등학교가 설립되었다.

—교육의 국제화 : 정부는 교육의 국제화를 위해 노력했다.
그 결과, 국제학교, 국제학년제, 해외연수 등이 확대되었다.

—교육의 정보화 : 정부는 교육의 정보화를 위해 노력했다.
그 결과, 컴퓨터 교육, 인터넷 교육, 디지털 교과서 등이 보
급되었다. 교육의 질적 향상을 이루고, 교육의 경쟁력을 강
화하는 데 이바지했다.

교육의 자율화, 다양화, 국제화, 정보화를 강조했다.

Q. 2000년대의 교육은?

BARD

2000년대 한국의 교육정책은 다음과 같은 몇 가지 주요 특징이 있다:

—교육에 대한 접근성 향상 : 정부는 모든 아동의 의무교육, 학교 및 학업 프로그램 수 확대 등 교육 접근성을 높이기 위한 정책을 개발했다.

—교사의 자질 향상 : 정부는 특히 STEM(과학, 기술, 공학, 수학) 과목에 중점을 두고 교사 연수 및 전문성 개발을 개선하기 위한 프로그램을 수립했다.

—창의성과 비판적 사고 강조 : 교육정책은 암기식 학습에서 벗어나 학생들이 더 창의적이고 비판적인 사고를 하도록 장려했다.

—교육의 디지털화 한국은 기술 인프라에 많은 투자를 하고 교실에서 디지털 도구와 리소스를 사용하도록 장려했다.

—학업 부담 감소 : 정부는 대학수학능력시험을 폐지하고 대학 입시에서 시험 점수에 대한 비중을 줄이는 등 학생들이 직면한 극심한 학업 부담을 줄이는 조치를 시행했다.

—암기식 학습 강조 : 한국의 교육정책은 암기식 학습을 많이 강조하여 학생들이 방대한 양의 내용을 반드시 이해하지 않고도 암기하도록 요구했다.

—표준화된 시험 : 한국은 대학 입학시험이 학생의 장래 전망을 결정하는 주요 요인으로 표준화된 시험을 매우 강조했다.

—STEM 과목에 집중 : 2000년대 한국의 교육정책은 인문 사회 과학에 관한 관심이 덜한 STEM(과학, 기술, 공학 및 수학) 과목에 중점을 두었다.

—사교육 : 한국교육 정책은 많은 학생이 정규 교육을 보충하기 위해 학원(사립 학원)에 다니는 상당한 사교육을 허용했다.

—경쟁에 의한 스트레스 : 2000년대 한국의 교육정책은 학생들이 좋은 직업과 사회적 지위를 확보하기 위해 학업적으로 뛰어나야 한다는 상당한 압력에 직면하는 경쟁이 매우 치열했다.

전반적으로 이러한 정책의 목표는 학생들이 현대 노동력에 대비하고 평생 학습을 촉진할 수 있는 보다 균형 잡히고 효과적인 교육 시스템을 구축하는 것이다.

한
줄
평

대학수학능력시험을 폐지

Q. 2010년대의 교육은?

BARD

2010년대의 대한민국 교육정책의 특징은 다음과 같다.

—창의성과 인성을 강조 : 정부는 창의성과 인성을 강조하는 교육을 위해 노력했다. 그 결과, 2015년에는 2015 개정 교육 과정, 2019년에는 2019 개정 교육 과정으로 개정되었고, 2022년에는 고교학점제가 도입되었다.

—교육 격차 해소 : 정부는 교육 격차 해소를 위해 노력했다. 그 결과, 기초학력 보장 정책, 무상 급식 정책, 무상 교육 정책 등이 추진되었다.

—교육의 국제화 : 정부는 교육의 국제화를 위해 노력했다. 그 결과, 국제학교, 국제학년제, 해외연수 등이 확대되었고, 영어 교육이 강화되었다.

—교육의 디지털화 : 정부는 교육의 디지털화를 위해 노력했다. 그 결과, 컴퓨터 교육, 인터넷 교육, 디지털 교과서 등이

보급되었고, 스마트 기기를 활용한 교육이 확대되었다.

2010년대의 교육정책은 창의성과 인성을 강조하고, 교육 격차를 해소하고, 교육의 국제화와 디지털화를 추진하는 데 중점을 두었다. 이러한 교육정책은 교육의 질적 향상을 이루고, 교육의 경쟁력을 강화하는 데 이바지했다.

한
줄
평

교육 격차 해소, 무상 급식 추진, 교육 디지털화

Q. 2020년대의 교육은?

BARD

2020년대 대한민국의 교육정책은 다음과 같은 특징을 가지고 있다.

—미래 인재 양성 : 인공지능, 빅데이터 등 4차 산업혁명 시대에 필요한 인재 양성을 위해 AI·첨단분야 인재 양성, 대학혁신지원사업, 대학·지자체 협력 기반 지역혁신 지원 등을 추진하고 있다.

—교육 공정성 강화 : 사교육비 부담을 줄이고 교육 기회를 확대하기 위해 고교 무상 교육, 고교학점제, 교육복지 지원 등을 추진하고 있다.

—미래교육시스템 구축 : 디지털 교육혁신, 미래형 학교 체제 구축, 교육부와 사회부처 간 협력 강화 등을 통해 미래교육시스템을 구축하고 있다.

이러한 교육정책을 통해 대한민국은 미래 사회를 선도할 인재를 양성하고, 교육 공정성을 강화하고, 미래교육시스템을 구축해 나갈 것이다.

한
줄
평

4차 산업혁명 대비 미래 사회를 선도할 미래 인재 양성 시스템 구축

Q. 2030년대의 교육은?

BARD

2030년대 교육의 특징은 다음과 같다.

미래 사회에 필요한 인재 양성

—인공지능, 빅데이터, 로봇공학 등 4차 산업혁명 시대에 필
요한 인재를 양성하기 위해 교육 과정과 교육 방법을 혁신
해야 한다. 이를 위해 디지털 교육혁신이 추진되고, 미래형
학교 체제가 구축될 것이다.

—창의력, 문제해결력, 의사소통 능력 등 미래 사회에서 요구
되는 역량을 갖춘 인재를 양성해야 한다.

교육 공정성 강화

—사교육비 부담을 줄이고 교육 기회를 확대하기 위해 고교

무상 교육을 확대하고, 교육복지 지원을 강화해야 한다.

―지역 간 교육 격차를 해소하기 위해 지역 특성에 맞는 교육을 제공하고, 교육자원을 균형 있게 배분해야 한다.

교육의 디지털화

4차 산업혁명 시대는 디지털 기술이 빠르게 발전하고 있는 시대이다. 이러한 디지털 기술의 발전은 교육에도 큰 영향을 미칠 것으로 예상된다. 교육은 디지털 기술을 활용하여 학생들에게 더 효과적인 교육을 제공할 수 있다. 예를 들어, 온라인 교육, 디지털 교과서, 디지털 학습 도구 등을 활용할 수 있다.

교육의 다양성

AI시대는 개인의 개성이 존중받는 시대이다. 이러한 시대의 변화는 교육에도 반영될 것으로 예상된다. 교육은 학생들의 개성에 맞는 교육을 제공할 수 있도록 변화해야 한다. 예를 들어, 선택형 교육 과정, 맞춤형 교육, 진로 맞춤형 교육 등을 제공할 수 있다.

미래교육시스템 구축

―디지털 교육혁신을 통해 학생들이 언제 어디서나 양질의

교육을 받을 수 있도록 해야 한다.

—미래형 학교 체제를 구축하여 학생들이 자기의 적성과 소질에 맞게 학습할 수 있도록 해야 한다.

—교육부와 사회부처 간 협력을 강화하여 학생들이 학교 밖에서도 다양한 교육 경험을 할 수 있도록 해야 한다.

이러한 노력을 통해 대한민국은 미래 사회를 선도할 인재를 양성하고, 교육 공정성을 강화하고, 미래교육시스템을 구축해 나갈 수 있다.

한
줄
평

미래 사회를 선도할 인재 양성을 위해 미래 교육 시스템을 구축해야

Q. 과거 교육정책을 반성한다면?

BARD

입시 위주의 교육

대한민국 교육은 오랫동안 입시 위주의 교육을 강조해 왔다. 이러한 교육은 학생들의 창의력과 문제해결력을 저해하고, 학생들을 경쟁 속으로 몰아넣었다.

획일적인 교육 과정

대한민국 교육 과정은 매우 획일적이다. 모든 학생이 동일한 교육 과정을 이수해야 하며, 학생들의 개성을 고려하지 못하고 있다.

교사와 학생의 열악한 처우

대한민국 교사와 학생의 처우는 열악하다. 교사들은 높은 업무량에 시달리고 있으며, 학생들은 학업 스트레스에 시달리고 있다.

이러한 문제들은 대한민국 교육의 발전을 저해하고 있다. 대한민국 교육이 이러한 문제들을 해결하고, 학생들에게 더 나은 교육을 제공할 수 있기를 바란다.

한
줄
평

낡고 낡은 교육 과정, 교육체계, 교수 방법은 AI시대 맞게 변혁되어야

제2부

●

교
육
은

미
래
다

1장.

교육은 미래다

미래는 교육에 달렸다

대한민국 교육은 늪에 빠져 허우적거리고 있다. 사교육 전성시대, 잠자는 공교육, 교권 붕괴, 학교폭력, 줄 세우기 교육, 상대평가 방식, 수명 다한 수능, 교사·학생 자살, 후진국형 교육정책 등 늪에서 헤어나지 못하고 있다. 현재 가장 큰 늪은 대학 입시라는 외통수 때문에 생긴다. 학생들은 대학 입시라는 병목현상에서 길이 막혀 오지도 가지도 못하는 신세다. 수능이 한국교육을 문제 풀이 늪에 빠지게 했다. 교육 목표가 선택형 시험 문제 풀이를 잘하는 학생 양성으로 변질한 지 오래다. 현재 대입을 위한 초·중·고교 학생들을 태운 열차는 문제 풀이를 위해 달릴 뿐이다.

명문대 몇 명 합격이 부모와 학교의 사명이고 진리가 된 지 오래다. 이렇게 교육이 선택형 시험 문제 풀이라는 역사적 사명의 늪에 빠져 있다. 그 늪을 심화시키는 것이 26조 원 규모 사교육 시장이다. 챗 GPT 시대에 쓸모없는 문제 풀이 달인을 양성하고 있는 사교육의 현실이 안타까울 뿐이다.

공부에 담을 쌓기 시작하는 학생들이 과반이 넘는데 학교 수업은 대입을 위한 주입식 강의로 이어진다. 학생들에게 대입이 인생의 전부가 아니라는 현실을 깨닫도록 과학적인 체계로 진로 교육을 해야 한다. 초등학교 시기부터 진로 교육이 체계적으로 이뤄지는 독일 사례를 본받아야 한다.

학교 현장은 불신이 만연한 또 하나의 거대한 늪이다. 학생은 교사를 폭행한다. 학부모는 교사를 업신여긴다. 교장·교감은 교사의 목소리에 귀 기울이지 않는다. 교육청의 늪은 다른 차원이다. 교육청 공무원들은 현장 교육 지원보다 인사권자의 심기만 살피고 있다.

교육 당국의 늪은 깊다. 동일사고·동일 집단으로 타성에 젖어 기존 정책 바꾸기를 꺼린다. 시대에 맞는 혁신적 정책은 눈 뜨고 찾아봐도 없고 그저 재탕 정책만 내놓기 일쑤다. 기존 제도가 변화되는 것을 의도적으로 거부하고 있는 교육계 이권 카르텔 늪은 더욱 심각하다.

이제는 교육의 판을 바꿔야 한다. 우리 교육이 제대로 가고 있는지 살펴봐야 할 때다. AI시대에 아직도 선택형 문제 풀이의 늪에 빠진 한국교육을 구해내야 한다. 지금까지의 개인주의적 경쟁방식의 교육방식, 학습 방법, 수업 형태, 평가 방식에서 벗어나야 한다.

교육은 대한민국의 지속적인 발전과 개인의 미래를 결정짓는 가장 중요한 성장 엔진이다. 새로운 교육 목표를 세워야 한다.

대학 서열화를 위한 획일적 평가를 지양하며 개인의 성장을 넘어 사회와 공존해야 한다.

　세계는 생성형 AI 경쟁 시대를 맞고 있다. AI를 어떻게 활용하느냐가 개인은 물론 국가의 경쟁력을 좌우하는 세상이다. 교육은 이를 실천하는 핵심 요인이다. 미래 교육은 개인별 맞춤형 학습을 해야 한다. 다양한 분야의 지식을 융합하여 창의적으로 문제를 해결하기 위해서다.

　미래는 유연하고 창의적인 사고력이 필수다. 미래는 AI가 지배한다. 사람은 AI를 당해낼 수 없다. 기술의 대변혁 시대를 맞아 미래 인재를 어떻게 교육할 것인가에 집중해야 한다. 대한민국 미래는 교육에 달렸다. 대한민국을 통째로 바꿀 골든타임을 놓쳐선 안 된다. 지금이 바로 교육 대전환의 적기다. 에듀테크 강국으로서의 새로운 미래 교육을 만들어가는 대한민국을 기대한다. (출처 : 매일경제. 2023. 08. 28.)

ChatGPT를 활용한 학교 교육

ChatGPT 등장

ChatGPT 열풍이 거세다. ChatGPT(Generative Pre-Trained Transformer)는 지난해 11월 세계 최대 인공지능(AI) 연구소인 OpenAI가 출시한 Chatbot 서비스다. 자연어 처리 AI 모델을 기반으로 인간과 유사한 텍스트를 생성하도록 설계된 초거대 사전 훈련된 생성 AI 변환기다.

ChatGPT는 사전에 학습한 방대한 지식(pre-trained)을 바탕으로 질문한 사람의 의도와 가중치에 맞는 단어로 다양하게 변형(transformer)해 원하는 답변을 몇 초 이내에 생성(generative)하면서 텍스트 기반으로 사람과 상호작용(chatting)한다.

생성이란 질문에 답을 만들어 낸다는 뜻이고 변환기란 입력한 문장 속의 단어를 순차적으로 맥락에 맞게 배열해 학습하는 신경망이라는 의미를 갖고 있다. 사용자가 채팅으로 질문하면 2021년도까지 축적된 대량의 언어 패턴에 대한 분석을 기반으로 정교한 답변을 제공한다.

문장의 맥락을 이해하고, 이전의 대화 기록을 기억함으로써 단순 검색 기능이 아닌 마치 사람과 대화하는 것과 같은 수준으로 답을 내놓는다. 주요 기능으로는 질문 상황에 맞는 답변, 소설·논문·기사·자료의 생성·요약, 알고리즘 작업 등 인간이 할 수 있는 대부분 작업을 할 수 있다.

ChatGPT는 자료 생성, 문서 검토 등을 사람보다 정확하고 빠르게 처리하기에 업무 효율과 생산성을 높일 수 있다. ChatGPT는 미국 와튼스쿨 MBA·미국 의사 면허시험(USMLE)·미네소타 로스쿨 시험을 통과했다. 가까운 미래에 사람의 일자리를 대체할 가능성을 배제할 수 없다.

하지만 ChatGPT는 기존의 데이터 기반으로만 훈련되어 응답을 생성하므로 만능이 아니다. 또한 상황에 맞지 않는 엉뚱한 답변을 하기도 한다. 정확하지 않은 가짜 답변을 내놓으며 상식적인 추론적 지식의 이해와 문제해결력과 창의력이 부족하다는 지적을 받고 있다. 향후 ChatGPT가 모든 영역에서 아주 큰 영향을 미칠 것은 명확하기에 격변에 따른 적절한 대응책을 마련하는 것이 필요하다.

ChatGPT를 활용한 학교 교육

ChatGPT는 학생들의 학습을 향상하는데 큰 기여를 할 수 있다. ChatGPT는 어떠한 질문을 해도 빠르게 답을 내놓기 때문이다. 여기서 놓쳐서는 안 되는 것이 왜 공부해야 하는지를 모르고 기초학력도 전혀 갖추지 못한 학생에게는 어떠한 기술도 학습 동기를 부여할 수 없다는 것이다.

문제는 ChatGPT가 우리 교육의 미래에 어떤 영향을 미치며 어떻게 활용될 것인가 여부이다. 가장 바람직한 교육은 최첨단 AI 기술을 활용하는 에듀테크의 하이테크(high-tech)와 인간 중심의 하이터치(high-touch)가 적절히 조화를 이루는 것이다.

ChatGPT 시대, 학교 교육에서 ChatGPT 활용을 어떻게 해야 할까. 먼저 교사의 역할을 새롭게 정립해야 한다.

첫째, 선생님은 교실에서 ChatGPT를 활용해 어떻게 가르칠 것인가? 교사는 ChatGPT를 사용하여 개념 설명하기, 질문에 대해 상호 작용하기, 과제와 퀴즈 만들기 등을 할 수 있다. 다만 ChatGPT가 AI라는 점을 감안하여 올바른 지식을 습득하고 정확한 답변을 유도할 수 있도록 ChatGPT에 대한 이해도를 높여주어야 한다.

둘째, ChatGPT를 바르게 활용하도록 수업을 진행해야 한다. 특히 교사는 제시된 대답에 오류와 문제가 있을 수 있으니 100% 신뢰하지 말고 근거가 되는 논문이나 자료를 통해 사실 여부를 확인해야 함을 알려주어야 한다. 학생이 제출한 보고서를 어떻게 작성했는지, 어디서 자료를 수집했는지, 전체의 핵심은 무엇인지 등 다양한 질문을 던지는 구두 평가도 도입해야 한다.

셋째, ChatGPT를 활용한 과제 및 숙제는 무엇을 다루어야 하나? 우선 ChatGPT를 통해 과제와 숙제를 어떻게 수행할 것인지에 대한 방법을 정의하여야 한다. 교사는 ChatGPT를 통해 과제나 숙제를 검토하고 필요한 경우 피드백과 보충 자료 등을 제공하여 학생의 이해도를 높여야 한다. 교사는 개인정보 보호와 인터넷 사용에 대한 보안 조처를 하여 안전하게 학습할 수 있도록 하여야 한다.

넷째, ChatGPT를 활용한 개인 맞춤형 학습은 어떻게 해야 할까? ChatGPT는 기계학습과 자연어 처리 기술을 기반으로 다양한 언어와 주제에 대해 습득하고 질문에 대답하는 대화형 AI 기술이다. 이러한 특성을 바탕으로 학생 개개인의 학습 능력, 성향, 상황 등을 파악하여야 맞춤형 교육이 가능하다.

다섯째, 교사의 보조적 역할로의 활용이다. 질문에 대한 답변을 통해 개별 학습지도가 가능하다. 학습 상황을 모니터링하여 교사에게 보고할 수 있다. ChatGPT는 교사의 보조 튜터로 활용하여 학생의 학습 효과를 높일 수 있는 중요한 수단이다.

ChatGPT 시대 학생의 학습 방법은 어떻게 달라져야 하나?

첫째, ChatGPT를 효과적으로 활용하기 위해 갖춰야 할 역량은 무엇인가? ChatGPT를 제대로 사용하기 위해서는 AI와 자연어 처리에 대한 기본적인 컴퓨터 및 소프트웨어 사용 능력을 갖춰야 한다. 창의적 문제해결 능력, 디지털 리터러시, 자기 주도적 학습 역량, 비판적 사고, 협업 역량도 갖춰야 한다.

둘째, 학생은 ChatGPT를 활용해서 어떻게 학습할 것인가? 개념 이해와 문제해결 방법을 배울 수 있다. 또한 연습문제 풀이, 실험 결과나 궁금증에 대해 질문하기, 문제 풀이에 대한 피드백 받기, 해결 과정이나 학습일지 작성이 가능하다. 학습에 대한 이해도를 높이기 위해서는 교사와 함께 학습하며 적극적으로 질문하고 대화해야 한다.

셋째, ChatGPT는 학생의 보조 역할을 할 수 있다. 학생은 ChatGPT와 대화를 통해 자신의 학습 상황을 파악하고, 필요한 도움을 받아 자신의 학습을 더욱 발전시킬 수 있다. 학생은 적극적으로 ChatGPT를 활용하여 자신의 학습에 관한 질문이나 요구를 제기할 수 있으며, 이를 통해 더욱 효과적인 학습이 가능해진다.

넷째, ChatGPT 활용에 있어 학생은 문제해결 능력을 기르기 위해 활용하고 ChatGPT를 학습의 대안으로 사용하지 않도록 주의해야 한다. 학생은 적극적으로 교사의 지도와 지원을 받으며, 적절한 교육 프로그램을 선택하여 학습을 수행하여야 한다.

다섯째, ChatGPT를 활용한 학습 계획표를 만들어야 한다. ChatGPT는 학생이 교실 현장에서 대화 및 개별화된 학습 환경을 촉진한다. 향후 학생은 ChatGPT를 활용하기 위해 무엇을 어떻게 할 수 있는지 학습 계획을 준비해야 한다.

AI ChatGPT 시대에는 정해진 정답을 선택하는 교육에서 질문을 잘하는 교육으로 트렌드가 변하고 있다. ChatGPT가 미래교육 혁명을 일으키고 있다. 교육개혁의 성공을 위해 지금이 ChatGPT를 교실학습에 활용해야 할 시점이다.

B.C vs A.C 교육(ChatGPT 이전과 이후 교육)

교육은 ChatGPT 이전과 이후로 나뉜다. 이전 교육은 주로 기술에 대한 접근이 제한된 전통적인 교실 환경에서 이루어졌다. 하지만 이후 교육은 AI 기술을 사용하여 개별 학생의 공부 스타일과 레벨에 맞게 효과적인 학습 경험을 제공한다.

Before ChatGPT 시대는 AI를 활용하는 방식이 주로 에듀테크 학습을 통한 개인화와 학습 효율화가 주된 화두였다. AI 등장으로 학습자에게 다양한 애플리케이션을 통해 맞춤형 학습 내용을 더 빠르고 효과적으로 서비스할 수 있게 되었다.

디지털 기기와 애플리케이션 보급이 교사를 대체하고 교육행정을 자동화하는 움직임은 매우 빠르게 진행되고 있다. 하지만 이는 ChatGPT와 같은 생성형 AI를 적극 활용한 것과는 거리가 있다.

After ChatGPT 시대에 교육 현장이 어떻게 혁신할지 정확히 예측하기가 어렵다. 교육 선진국인 미국 대학들은 각 학과별로 ChatGPT에 대한 대응 방안을 마련하기 위해 ChatGPT 관련 특별 위원회를 조직해서 의견을 수렴하고 나름의 내부 정책을 수립하여 대응에 나서고 있다.

그 핵심은 놀랍게도 ChatGPT의 활용을 전면적으로 허용하는 것이다. 다만 미국 뉴욕주 교육 당국은 K-12 학교에서 ChatGPT의 활용을 금지했다. 하지만 생성형 AI 발전 속도를 보건대 결국 교육 현장에서 ChatGPT를 마냥 금지하기 어려울 것으로 보는 게 일반적 견해다.

현재 우리 교육 현장은 학원에서 입시 위주의 수업을 하고, 학교는 잠만 자는 죽은 교실이 된 지 오래다. AI시대 교육은 학생 스스로 문제를 창의적으로 해결하고 경험하는 것이 무엇보다 중요하다.

ChatGPT 시대 교육은 학습 환경·학습 방법·수업내용·교육 과정이 완전히 달라져야 한다.

첫째, 학습 환경이다. 학교 교육을 받은 학생은 누구나 AI를 이해하고, 만들고 활용 가능하도록 공교육을 정상화하는 것이 시급하다. 대한민국에서 공교육을 이수한 학생은 누구든지 AI 기술을 활용해 창업을 할 수 있어야 한다. 공교육에 AI 실제 체험 교육 과정을 도입하면 좋은 일자리 창출로 지속적 경제 성장이 가능하다.

둘째, 학습 방법이다. ChatGPT 커리큘럼 개발을 통해 교실에 ChatGPT를 도입해야 한다. 학생별 맞춤형 학습을 위한 AI 기반 디지털 교육 도구 및 플랫폼을 구축해야 한다. 교사가 ChatGPT를 활용하는 데 필요한 역량을 갖추도록 교육 연수 프로그램을 강화해야 한다. 인터넷 정보 소스에 관한 비판적 사고 능력을 높이기 위한 디지털 리터러시 교육 과정을 마련해야 한다.

셋째, 수업내용이다. 대학 수업은 산업계 현장과 유기적으로 연계되어 실제적 창의적 문제해결 활동을 수행하고 결과물을 창출할 수 있는 역량개발 중심 교육으로 전면 개편해야 한다. 유네스코에서 지속가능발전교육 프로젝트로 인증받은 한양대 IC-PBL(Industry CoupledProblem Based Learning) 교육 플랫폼 도입으로 수업 혁신을 일으켜야 한다.

넷째, 교육 과정이다. 미국의 대학에서는 다수의 교수가 AI Tool을 통해 교육 과정을 표준화했다. 동일 학과 내 교수들은 맡은 수업을 비디오 클립으로 모듈화해 표준화된 온라인 과정을 만들었다. 수업은 거꾸로 학습(flipped learning)으로 운영되고, 오프라인 강의는 교수와 학생 간 토론식 강의로 이루어진다. 개별 맞춤형 지도를 강화하는 교육 과정으로 전면 개편해야 한다.

ChatGPT는 전통적인 학습 방법을 변화시키고 학생들의 성장과 발전을 위한 새로운 기회를 창출한다. AutoChatGPT를 거쳐 머지않아 SuperChatGPT가 출현하면 교육의 패러다임은 완전히 바뀐다. ChatGPT 시대의 교육은 교사에게 '무엇을 배웠느냐'보다 학생이 '어떤 질문을 하느냐'가 중요하다. 대한민국 미래교육의 성공 여부는 ChatGPT 교육체제로 대전환이 좌우한다. (출처 : 한국교육과정평가원. 교육광장 2023 SUMMER VOL. 83)

미래세대 희망을 위한 제안

청년들은 우울하다. 하루 4.3명꼴로 20대가 꽃다운 생을 마감하는데, 그중 19%는 생활고였다. 경기 침체로 직장 잡기는 바늘구멍처럼 좁아지고 있다. 어렵사리 일자리를 잡아도 결혼이라는 벽에 부딪힌다. 설사 결혼해도 10쌍 중 9쌍은 빚을 내어 결혼생활을 시작하고 그중 6쌍은 무주택자 신세를 벗어나지 못한다. 미래를 책임질 청년들이 빚에 허덕이고 있다.

청년이 빚더미에 억눌린 사회의 미래에는 희망이 없다. 요즘 청년 세대들은 가장 높은 수준의 교육을 받았음에도 불구하고 경제적·심리적으로 가장 가난한 세대로 전락했다. 2030세대 전체가 총체적 난국이다. MZ세대의 삶이 지금보다 나아질 것이라는 희망을 가진 이는 거의 없다는 게 더 큰 문제다. 어디서부터가 문제인가.

한국의 대부분 사회문제는 교육에서 비롯돼 교육으로 귀결된다. 오늘날의 사교육 문제는 경제문제이자 부동산 문제이며, 학벌사회 문제이자 저출산·지방소멸의 문제로 대두된 지 오래다. 과도한 사교육비 지출로 인해 학부모들은 노후를 준비할 엄두를 내지 못하고 있다. 교육 불평등의 주범은 공교육 붕괴에 있다. 특히 불수능은 저출산의 망국 공범이다.

청년에게 꿈을 주는 미래를 만들기 위한 국가 그랜드 비전이 시급하다. 지금 세상은 챗GPT, 바드와 같은 챗봇이 유행이다. 인공지능(AI)을 언제, 어디서, 누구든 쉽게 활용하는 세상이 됐다는 사실에 이견이 없다.

미래는 AI를 지배하는 국가가 세상을 지배한다. 초거대 생성형 AI 대전환 시대에 우리가 나아가야 할 새로운 국가 비전과 민생 살리기 정책을 제시하면 다음과 같다.

첫째, 3·5·7 비전 실현이다. 3은 'AI G3', 5는 '수출대국 G5', 7은 글로벌 '경제대국 G7' 도약이다. 2030세대에게 희망을 주기 위해 2030년까지 이 비전을 구현해야 한다. 추격의 산업화, 투쟁의 민주화, 정보기술(IT) 선도화를 거친 뉴 대한민국은 AI 강국의 길로 나아가야 한다.

둘째, 새로운 인재 양성 전략이 필요하다. 기존 교육체계로 글로벌 경쟁력을 높이는 것은 불가능에 가깝다. 이제는 새로운 창의적 인재 양성에 나서야 한다. 인재가 곧 국가 미래이기 때문이다. 3대 슬로건은 '미래 인재 이렇게 키우겠습니다' '공교육을 이렇게 정상화하겠습니다' '사교육비 이렇게 팍 줄이겠습니다' 등이면 좋겠다.

셋째, 반값 사교육비를 현실화해야 한다. 학부모의 사교육비 지출을 반값으로 덜어주는 것이 민생 살리기다. 반값 사교육비 실현을 위해 'AI 플랫폼 기반 개인별 맞춤 학습 도우미' 정책을 추진해야 한다. 시도교육청에 잠자고 있는 26조 7,893억 원의 기금을 활용하면 학부모의 사교육비 부담을 절반으로 줄이고 청년들에게 학습 도우미 일자리를 제공할 수 있다.

넷째, 민생도우미 카드 지원을 시행해야 한다. 700만 소상공인은 연일 치솟는 물가와 고금리에 죽을 지경이다. 중앙정부와 지자체가 내수 활성화를 위해 할인율 20%의 민생도우미 카드로 지원하고 동시에 소상공인도 매출의 5% 정도를 공제하면 소비자들에게는 25%의 파격적인 할인 혜택이 돌아간다. 도우미 카드에 2~3회 회전 조건을 걸면 내수를 활성화할 수 있다.

청년 세대로 하여금 미래에 대한 희망을 갖도록 하는 것은 이제 대한민국 흥망성쇠를 가름하는 중요한 이슈가 되었다. 이를 위한 국가 차원의 비전과 전략 수립에 지혜를 모아야 할 것이다. (출처 : 매일경제. 2023. 12. 15.)

내 죽음 같은 교사의 죽음

어떻게 해야 하나. 내 죽음 같은 교사의 죽음에 애통하기 그지
없다. 안타까운 비보를 접하니 비통해서 눈물이 난다. 20대 신
규 교사가 학교에서 스스로 생을 마감한 것은 대한민국 공교육
이 사망했다는 반증이다.

뒤틀린 사회

서이초 사건이 뜨겁게 달아오르고 있지만 이것은 교권 확립
만으로 해결될 문제가 아니다. 한국 사회에 널리 퍼져 있는 자
기 아이 중심주의로 인한 사회의 뒤틀림이 빚어낸 현상이다. 저
출산 시대에 한 명의 자녀만 낳아 기르는 경우가 많다 보니 부
모는 자녀의 잘못된 행동에 야단을 치거나 예의범절을 가르치
기보다는 그저 달래주기만 하면서 키우는 비뚤어진 양육 태도
를 갖게 되었다.

요즘 공공장소에서 흔히 보는 버르장이 없는 아이와 개념·상식이 전혀 없는 부모들의 추태를 누군가 지적하면 '당신이 뭔데'라며 되레 호통치는 이상한 사회로 변질이 되어 가고 있다. 이런 데서 이미 교권의 붕괴는 시작된 것이다. 교실의 붕괴는 학교에서 시작된 것이 아니라 이미 가정과 사회에서 시작된 것이 학교 안으로 스며든 것뿐이다.

학생인권조례

선생님의 그림자는 밟지도 않는다는 격언을 한 방에 무너뜨린 것이 바로 학생인권조례다. 좌파 성향의 교육감이 15년 전 강하게 추진한 학생인권조례가 제정되면서 교실의 붕괴는 예견되었다. 학생인권조례는 아이들의 인권을 보호하기 위해 체벌금지와 두발, 화장, 복장 자유화를 추진하면서 촉발되었다.

두발을 단속하는 것이 옳으냐 그르냐를 떠나서 교권이 무너진 것은 학생인권조례 제정 시 교권에 대한 고려가 결여되었다는 점이다. 선진 외국에서는 미성년자의 결정에 대해 많은 제한을 두고 있다.

하지만 우리는 문제 학생을 어떻게 관리하고 문제행동에 대해 어떻게 후속 조치하는지, 교실의 질서를 유지하는 위한 교사의 권한은 무엇인지에 대한 고민도 없이 그저 학생 인권만 강조하다 보니 오늘날 이 지경에 이르렀다.

또한 문제 학생을 문제아로 취급하지 말라는 강요가 심하다.

문제아로 인해 전체가 허물어지는 것은 무책임하다. 얼마 전 초등학생이 담임교사를 폭행하는 사건이 발생하자 가해자 학부모는 선생님이 싫어서 그런 것이라면서 교사 탓을 하는 세상이다. 교사의 권위와 지위를 인정하지 않으면서 왜 학교를 보내는지 의문이 든다.

진상 학부모

교사는 진상 학부모의 24시간 악성 민원에 시달리고 있다. 급식에 탕수육이 부먹으로 나왔다고 우리 아이는 찍먹만 먹는다, 떠드는 건 교사가 재미없게 가르쳐서, 학원가야 하니 숙제 내지 마라, 교내 흡연 적발하면 내가 아무 말 안 하는데 네가 뭔데 징계하느냐, 앞에 앉혀 달라, 누구 피해 앉혀 달라, 선생님의 최신형 휴대전화를 보고 아이가 사달라고 조르니 앞으로 쓰지 말아달라, 잠자는 귀한 내 자식 깨웠다고, 학부모 전화 상담을 하던 중 나는 지금 기분 나쁜데 왜 밝은 목소리로 통화하냐며 소리를 지르고, 숙제 때문에 부부 싸움으로 이어졌으니 교사 당신은 가정 파괴범이야, 엄마에게 아이의 문제행동을 알리니 선생님, 처녀죠? 애는 낳아봤어요? 등 악성 민원은 이루 헤아릴 수 없다. 매일 교사에게 전화하고 찾아오고 협박하는 학부모들 정말 지긋지긋한 게 현실이다.

지속적이고 반복적이며 악의적인 민원을 넣는 한 명의 진상 학부모의 영향력이 너무 큰 문제다. 99명이 교사에게 감사해도

1명이 악성 민원인이 있으면 교사는 아무것도 할 수 없어 기본만 하게 된다. 진상 학부모들은 시도 때도 없이 자기 마음에 들지 않으면 교사 자격 없다고 민원을 넣기에 공교육은 무너져가고 있다.

교권 침해

교권이 바닥에 곤두박질 내린 꽂힌 근본적 원인은 교권 침해에 있다. 교권이란 교사의 인권에서부터 수업 및 생활지도의 권한에 따른 교육권과 교육자의 권리·권위 등을 아우르는 개념이다. 교사는 법률적 권리로서 교육기본법 제14조 제3항과 초등·중등교육법 제20조 제4항에 의거 교육할 권리를 보장받는다. 교권은 교사의 권력남용이 아니라 교사의 권위·위신이다.

교사의 평가권은 대표적인 법률적 권리다. 수업 시간에 시끄럽게 떠드는 학생은 다른 학생의 헌법적 권리인 학습권과 쾌적한 환경에서 교육을 받을 권리를 침해하는 행위다. 이럴 때 교사는 자신의 권한을 이용해 타 학생의 인권을 보호·보장할 수 있다. 학생의 인권을 보장하라는 것은 곧 교사도 당연히 누려야 하는 인권임을 의미한다.

교사는 학생을 교육할 권리와 국민으로서 헌법상의 일반적 인권을 보장받을 권리가 있다. 수업내용·교육 방법·학습평가 등을 결정하는 것은 교사의 교육권에 속한다. 여기에 진상 학부모가 개입하는 것은 월권이며 교권 침해에 해당한다. 교사는 교육을 방해받지 않을 권리를 가진다. 이를 방해하면 공무방해죄, 직무 집행권에 위반임을 시행령에 넣어야 한다.

국민으로서 교사는 왜 범죄자보다 인권을 보장받지 못하고 있을까. 교사가 정당한 교육을 했음에도 학생·학부모가 교권 침해 행위를 했다면 교육부·교육청·학교장이 모두 교권 침해 해결의 주체로 나서야 하는 데 현실은 전혀 그렇지 않다. 모든 민원과 책임을 교사 개인이 책임지는 시스템이기에 교사는 설 자리가 없다. 교권을 무시하는 사회에서 공교육은 멍들고 무너져 가고 있다.

교사의 사기를 높일 수는 없을까. 진단을 잘해야 처방을 할 수 있다. 교권 침해만 방지하면 문제가 해결될까. 그렇지 않다. 교권 붕괴를 가져온 원인은 다양하고 복잡하게 얽혀있기 때문이다. 교권을 인정하지 않는 교육부·교육청의 동일 집단, 동일 사고에서 나오는 상명하복과 관료주의 사고, 내 아이만 바라보는 일부 몰상식 학부모가 변하지 않는 한 불가능하다.

학교 현장의 교권 추락은 과거에도 현재도 진행형이다. 교사를 보호하지 못한 교육계의 책임이 크다. 한번 추락한 교권을 다시 세우는 것은 꽤 긴 시간이 걸릴 것으로 보인다. 교사는 교육을 방해받지 않을 권리를 가진다. 교사의 생존권 보장에 대한 민국 공교육의 미래가 달려 있다.

학생문화

학교는 노는 곳이고 학원은 공부하는 곳이라는 학생 인식도 문제다. 교실에서는 숙제, 떠드는 학생·급식·행정업무 등에 치여 교사는 파김치 되기 일쑤다. 교직 경력 10년이 넘은 교사는 악성 민원에 따른 속병과 화병에 정신적 치료까지 받는 실정이다. 이렇게 결국 교권이 무너지면 착하고 평범한 학생들은 물론 나라의 미래까지 피해를 받는다.

학생문화의 특징으로는 입시·남 탓·과잉 경쟁·사이버라는 특성이 있다. 성적 중심 문화로 인해 인성이 나빠도 성적만 좋으면 모범생으로 인정받는다. 시험 스트레스로 인해 학생들에게는 좌절·박탈감·이기심 소외가 내재해 있다. 디지털 세대로 유행에 민감하고 온라인에서 왕따가 성행하고 있다. 학교 문제를 부모·권력기관·경찰서·교육청 등 외부의 힘을 통해 해결하려는 고자질 문화도 자리 잡고 있다.

문제를 일으키는 학생들이 과거에 비해 너무 많이 늘었는데, 그들에게 '자율은 방종이고, 책임은 없다'는 것이 해당 학생들의 현실이다. 나이 어린 학생은 교사를 희롱·폭행해도 촉법소년 대우를 받는 반면에, 해당 학생을 지도하려는 교사가 그 학생에게 말 한마디를 잘못하거나 손으로 터치 하나 잘못하면 본인은 물론 가정까지 무너지는 사태까지 발생하기도 한다.

교사들을 문제 학생들과 진상 학부모로부터 법으로 보호받아야 한다. 더구나 학생은 집단이고, 선생님은 혼자인 경우가 대부분이며, 교장, 교감도 교사 편에 거의 서지 않고 면피만 하려한다는 피해자들의 목소리에 귀를 기울여야 한다. 무분별한 부모들이 교문을 넘는 순간 교권은 침해된다. 학폭 문제가 일어나면 2~3일 동안 학교와 교육청 중심으로 객관적 사태 파악을 위해 학부모의 학교 출입제한까지 고려해볼 만하다.

학교 수업

고난이도 문제로 인해 학교 수업과 수능이 연결이 안 되고, 수업과 학교 자체를 무시하고, 학교에서 잠자거나 학원 숙제를 하고, 학원에 가서는 강사의 말을 듣는 경우가 많다. 또한 학원에서 강사들이 학교 교사를 무시하며 학교 선생님들은 이런 문제를 못 푼다고 하니 실제 학생이 교사를 대상으로 실험하는 사례도 있다. 이런 일들이 누적되고 악순환이 되면서 결국 공교육이 무너지는 상황이 되고 있다.

수업 방해 학생에 대한 격리 조치, 수업 방해 행동 삼진아웃제 3회 진행 시 심리상담사·정신건강의학과 전문가들이 학교적응 교육을 하는 위탁교육 실시, 교사의 바디캠 수업, 정도가 심한 경우 학생부 기록, 학부모 소환제, 교사 양성·승진제도 개선, 행동치료 전담사 배치 등도 검토하여 도입해야 한다.

교육 당국·정치권

교권 침해의 원인은 무책임한 교육 당국에 있다. 이러한 사태의 발생 원인은 교사를 교육부·교육청의 일개 지침 실행자 정도로 취급하는 집단 관료주의·교육행정 편의주의·상명하복 체계에 기인한다. 교육계 마피아가 진정 교권 침해를 하고 있지 않을까 싶다.

사건이 터져야 언론 앞에 나서는 정치인, 국회 역시 책임에서 자유로울 수 없다. 지금까지 늘 그랬듯이 소 잃고 외양간 고치겠다는 보여주기 대책은 세월이 흘러도 바뀌지 않는다. 평소 관심이 없다가 엉뚱한 처방으로 소모성 정쟁에 휘말리기 일쑤다. 예산만 지원하면 된다는 단기 처방으로는 해결될 일이 만무하다.

아동학대 신고로부터 정당한 학생 생활지도를 보호하는 초·중등교육법 개정안이 통과되기를 기대한다. 교권 침해에 대응하기 위한 법과 시행령을 개정해서 교사가 학생의 생활 전반에 관한 조언, 훈육 등의 조치, 구체적인 생활지도를 할 수 있는 방식과 유형도 정해야 한다.

현재는 수업 방해가 발생하면 10일 후 정도에 개최되는 교권보호위원회에서 학생이나 학부모에게 그냥 가벼운 처분 정도로 끝나는 게 흔한 일이다. 향후 교사의 생활지도 방식과 내용에 대해서도 아주 세부적으로 정해야 한다. 예를 들면 손들고 있기, 반성문 작성 등 학생에 대한 제재 사항을 명시해야 교사가 조치할 수 있다.

현재 국회에 계류 중인 교사의 정당한 학생 생활지도에 면책특권을 주는 이른바 학부모 갑질 방지법과 교권 침해 내용을 생활기록부에 기재하도록 하는 법안이 조속히 통과되기를 기대한다. 교권침해보험을 교육 당국이 의무적으로 가입·지원하는 방안 역시 필요하다.

ChatGPT 시대 교사

학교폭력이나 분쟁은 학교별 전담 학내 경찰, 학습 관리와 채점은 AI 자동 채점 로봇에 맡기면 된다. ChatGPT 시대의 교사는 학생들의 사회성, 인성, 리더십, 협력 등 함께 살아가는 삶의 지혜를 가르치고 과목별, 학년별 지적 호기심 자극하는 컨설턴트 역할을 해야 한다.

교사 생존권 보장

금쪽이와 진상 학부모의 콜라보를 막아야 교권 회복이 가능하다. 악성 민원이 바로 교사에게 꽂히는 문제를 개선해야 한다. 최소 한 학급당 학생 수는 10명~30명가량의 아이와 학부모들을 교사 혼자 감당하기에는 벅차다.

교권 회복은 제도개선보다 국민성 개조가 더 시급하다. 이번 사건의 정확한 진상규명과 교사의 교육권 보장하는 계기로 삼아야 한다. 교사의 생존권을 보장해야 대한민국 미래가 있다. (출처 : 국가미래연구원. 2023. 07. 23.)

2장.

공교육 정상화

피고 수능은 유죄

공(公)교육을 공(空)교육으로 만든 주범은 누구인가. 수능은 암기 위주라는 학력고사의 폐해를 극복하기 위한 대안으로 1993년 도입됐다. 하지만 현행 수능은 주어진 시간 안에 문제 풀이 스킬만 평가하여 학생들을 한 줄로 등급을 매기는 획일적 제도로 변질한 지 오래다. 처음엔 사교육을 줄이는 수능이라고 했다. 하지만 변별력을 핑계로 만든 킬러문항으로 인해 사교육 열풍은 우리 사회 전반에 미치는 영향이 간과할 수 없는 정도에 이르렀다. 수능의 범죄 혐의점은 차고 넘쳤고 증거를 인멸할 우려가 있기에 체포·구속되었다.

학생들은 대학 입시를 위해 수능·수시·내신 준비에 몰두한다. 경찰 수사 결과 킬러문항이 학생과 학부모를 정신적·경제적으로 킬하고 있다는 것은 사실로 밝혀졌다. 2025년에 전면 시행되는 고교학점제 도입은 현행 수능 체제를 더 이상 끌고 갈수 없기에 사건을 검찰에 송치했다. 수능 구속은 전 국민 초유의 관심을 끌었다. 검찰은 압수수색을 통해 수능의 목적인 대학 교육을 수학할 수 있는가를 변별하기 위한 것이 아니라는 변질한 증거를 찾아냈다. 검찰은 국민이 공감할 인공지능(AI) 시대에 맞는 새로운 대입제도를 찾는 데 있다며 공소를 제기했다.

사법부는 재판을 통해 학생·학부모들의 혼란을 하루빨리 종식해야 했다. 재판장은 이례적으로 신속히 피의자 신문과 피고 수능의 최종변론을 진행했다. 검찰의 구형은 수능 폐지다. 재판장은 최종변론을 마치고 판결을 선고했다.

주문 내용은 피고인 수능은 유죄다. 판결 요지는 수능의 폐해가 사교육비에 등골 휘는 학부모·학생들의 행복을 추구할 권리인 헌법 제10조를 위반했다며 수능 폐지를 선고했다. 재판장은 국민이 모두 교육 전문가라는 착각에서 벗어나라며 교육계의 뿌리 깊은 헤게모니 싸움을 질타했다. 수능의 문제는 교육·정치·경제·사회·문화 등 전 분야가 연계된 미적분보다 어려운 복합적 문제를 안고 있다. 단순히 출제·관리 방식 개선으로 해결할 수 없다. 학벌주의 사회가 아닌 능력 위주의 사회가 될 때 사교육 및 대입 전형 관련된 문제들이 해결될 수 있다고 강조했다.

미국 대입을 위해서 준비하는 SAT, ACT, AP를 어설프게 흉내 낸 가짜 수능은 이제 수명을 다했다. AI 혁명 시대에 부합하는 현장 실무형 인재를 키우는 데 효과적인 한국교육 현실에 맞는 해법을 모색하라고 주문했다.

새로운 형태의 대입은 '고등학교졸업자격시험'으로 다양한 유형 수준, 서술·논술을 포함하고 문제은행식 운영 방식을 도입하라. 오프라인 학교생활과 온라인 세컨드 스쿨의 학습 활동을 AI가 자동 채점·평가하는 방식을 운영한다면 공교육을 정상화할 수 있다고 덧붙였다.

오프라인 유·초등은 보육과 학습에 큰 비중을 두고, 중·고교는 교과 학습, 진학은 명품 AI 맞춤형 EBS 강의, 대학생 보조교사의 코칭과 교과 학습을 수행하는 온라인 세컨드 스쿨을 통해 이원화하면 사교육에 의존할 필요가 없어질 것이다. 정부가 바뀔 때마다 뒤집히지 않는 챗GPT를 활용한 새로운 교육 시스템을 도입하라며 재판을 마쳤다. (출처 : 매일경제. 2023. 07. 26.)

망국의 의대 편중

"의사 되려면 초등학교 6학년까지는 고등학교 수학을 모두 끝내야 한다. 학원 가야지."

"학원 가기 싫어, 너무 어려워."

"엄마가 보기에 의사는 최고의 직업이야. 너 의사 되는 것이 엄마 소원이잖니."

"알았어."

이런 상황이 실제로 벌어지고 있다. 초등학생까지 '의치한약수(의대·치대·한의대·약대·수의대)'로의 인재 편중, 이대로 둘 것인가. 현재 사교육 시장의 대세는 초등학교 의대 준비반이다. 학부모는 자녀의 의대 입학을 위해 사교육에 올인한다. 의사는 평생 직업으로 안정된 수입을 얻을 수 있기 때문이다.

의치한약수 정원은 6,500명 정도다. 지난해 명문대 정시 합격자 중 28%가 입학을 포기했고, 이공 계열 2,000명가량이 자퇴하고 의대 지원을 준비 중이다. 과학고·영재고 재학생이나 졸업생의 의대 지원을 막을 수는 없다. 소위 최상위권 학생들이 반수, 재수, 3수도 마다하지 않고 의대 입학을 절실히 원하고 있는 게 현실이다.

'자녀 의대 입학=부모 성적표'라는 공식도 공공연한 사실이다. 부모는 자녀의 진로 희망 사항에는 관심이 없다. 자녀 적성에 맞는지도 모르고 무조건 의사가 되기를 권한다. 경쟁과 불안을 부추기는 사회적 분위기도 의대 입학 열풍에 한몫하고 있다.

의대 쏠림 현상과 이공계 기피 현상은 어제오늘 일이 아니다. 언론이나 드라마 등에서 의사를 사회적 특권층으로 묘사하기에 동경의 대상이 된 지 오래다. 자녀를 의사로 키운 부모들을 부러워하는 심리를 활용한 대치동 학원가의 의대 입시 마케팅은 점점 더 가열되고 있다.

부모들은 자녀의 미래를 초등학교 시기부터 특정 분야로 결정짓는 것을 경계해야 한다. '그래도 의사가 최고니까, 무조건 의대지'라는 생각은 시대의 흐름을 읽지 못하는 어리석은 판단이 될 수 있다. 인공지능(AI)이 의사를 대체하는 시대가 도래했기 때문이다.

대학이 초·중·고교 수업과 괴리된 수능 성적으로 학생을 선발하는 데서 모든 문제가 시작된다. 수능 점수 1점 차이로 의대 입학과 동시에 미래 60년이 결정되는 것은 불공정·불합리하다. 의대 열풍을 잠재우기 위해선 교육 현실과 괴리된 수능을 폐지하고, 논·서술형 고교 졸업 고사를 도입해야 한다.

특히 의료인이나 법조인과 같이 공공재 성격이 더 큰 업무에 종사하려는 학생들에게는 초·중·고교 시절의 의무 봉사활동 시간을 늘려야 한다. 학생들을 수능 성적 경쟁으로 내몰기보다는 사회에 이바지하는 경쟁으로 물꼬를 터야 한다.

이제는 지식과 암기가 중요한 시대가 아니다. 지식은 AI를 따라갈 사람이 없다. 챗GPT와 경쟁하면 상대가 되지 않을 단 한 번의 수능 성적으로 전문직이 되고 사회지도층이 되어서는 안 된다.

의대가 우수 인재를 빨아들이는 블랙홀이 된 것은 국가적 우수 인적 자원 낭비의 전형이다. 대한민국의 미래 주역이 될 수많은 최고 인재들이 의대에 간다는 것은 국가적 손실이다. 만약 아인슈타인이 한국에서 태어났다면 의대에 진학했을 것이다. 매우 개탄스럽다.

한국경제를 먹여 살리는 것은 반도체·자동차 등 이공계다. '공송(공대라 죄송합니다)'이 되면 대한민국은 희망이 없다. 글로벌 AI 기업의 이공계 출신들이 세계를 지배하고 있다. 과학·기술을 지배한 국가가 세계를 제패한 역사적 교훈을 잊지 말아야 할 것이다. (출처 : 매일경제. 2023. 08. 11.)

공교육이여 깨어나라

"얼른 일어나 늦겠다. 학교 가야지."

"학교 가기 싫어, 애들이 때리고 욕하고 너무 힘들어."

"그래도 학교는 가야지. 넌 선생님이잖니."

이런 개그 같은 상황이 벌어지고 있다. 교권이 붕괴해도 너무 처참하게 무너졌다 해도 과언이 아니다.

학생은 학교에서 잠을 잔다. 교사가 잠자는 학생을 깨우면 휴식권 침해로 고발당하거나, 더러는 학생의 폭력에 속수무책으로 당하기 일쑤다. 교사가 맞고 하소연해도 법적으로 보호받지 못하는 게 우리 공교육의 현실이다. 공교육이 죽어가고 있다.

공(公)교육이 공(空)교육으로 전락한 지 오래다. 공교육이 죽으면 미래가 없다. 현재 공교육은 막장에 이르고 외통수에 걸렸다. 공교육이 막장에 이르면 국가는 더 이상 발전할 수 없다는 것이 역사적 교훈이다. 자녀들이 공교육이 죽어가는 환경 속에서 교육받아도 괜찮을까.

교육은 국가의 지속적 발전을 결정짓는 가장 중요한 엔진이다. 미래 생존을 위한 제1 원동력은 교육이다. 한강의 기적과 IT 강국의 직선적 발전을 했던 우리는 현재 미래 교육에 대한 비전을 세우지 못하고 있다. 비전이 없으면 방황하고 방황이 길어지면 추락할 수밖에 없다.

우리가 어떻게 쌓아 올린 교육인가. 여기에서 멈출 수 없다. 이제는 과거 교육과 작별을 고하고 미래 교육을 새롭게 맞이해야 한다. 지식을 일방적 집어넣는 사(死)교육에서, 창의적 질문을 잘하는 생(生)교육으로 이전해야 한다.

선진 교육을 모방하는 교육에서 우리만의 K교육으로 전환해야 한다. 대학 입시를 위한 교육이 아니고 미래 삶을 준비하는 생활 교육으로 넘어가야 한다. 죽어가는 공교육을 살리기 위해선 대학 입시만을 위한 평가체계를 전면 개편해야 한다.

교육의 주체는 학생, 교사, 학교, 정부, 대학, 학부모다. 평가에 관한 입장은 각자가 너무나 다르다. 학교는 내신, 정부는 수능, 대학은 논술·면접, 학부모는 사교육으로 어디에 장단을 맞출지 몰라 학생들은 죽을 맛이다. 대한민국 교육이 추구하는 가치는 바로 공정·공공성이다.

교육의 가치를 실현하기 위해서는 학생부 비교과에 인성, 사회성, 리더십 등에 대한 평가를 기록하고 대입 모든 전형의 필수 요건으로 반영하면 된다. 수능은 대학별 고사를 대신하는 시험이지 고교 교육과는 괴리가 있다. 오지선다형 문항의 수능에서 벗어나야 할 시점이다. 정부는 수능 대신 고교 졸업고사 형태의 시험을 도입해야 한다. 대학에서도 변별력만 갖춘다면 대학별 고사나 수능이 없어도 AI가 평가한 학교 시험, 토론과 발표 등 교과·비교과와 논·서술형 졸업고사로 학생을 선발할 수 있을 것이다.

AI시대의 교육은 개인별 맞춤형 교육, 문제해결 중심 교육, 평생 교육으로의 패러다임 전환이 핵심이다. 모든 교육정책이 장관·교육청·학교 순으로 내려오는 수직적 상명하복 체계로는 AI시대 교육의 가치를 실현할 수 없다.

학생·교사·학교가 주축이 되는 새로운 거버넌스를 구축해야 공교육이 정상화될 수 있다. 교육활동 정상화를 위해 현재의 법과 제도의 개선이 수반되어야 할 필요가 있다. 대한민국의 번영을 위해선 교육개혁의 마지막 기회를 그대로 흘려보낼 수 없다. 반드시 움켜쥐어야 한다. 지금이 공교육을 살려야 할 골든타임이다. (출처 : 매일경제. 2023. 08. 03.)

생성형 AI시대와 공교육 정상화

교육부는 지난 6월 '인공지능(AI) 디지털 교과서 추진방안' 도입을 발표했다. 내용을 살펴보니 방안만 있을 뿐 기술 개발 및 확대 전략이나, 서책형 방식과 디지털 교육방식 차이에 따른 플랫폼, 과목 간 상호연동에 대한 전략이 부실해서 아쉬움이 남는다.

AI 디지털 교과서 추진을 위해 반드시 고려해야 할 점들

이번 발표를 보며 우려스러운 점을 몇 가지 짚어 보려고 한다.

첫째, 교육 플랫폼의 사일로(silo)화 및 사용 플랫폼에 대한 록인(Lock-in)이다. 디지털 교과서와 교육용 플랫폼의 짝짓기를 통해 수직 계열화된 다수의 사일로가 등장할 가능성이 있다. 이 경우 플랫폼 간 상호운용성을 보장하기 어려워 전학 등의 상황에서 데이터 이전이 어렵거나, 이전하더라도 귀중한 정보가 사라질 우려가 있다. 교육청·학교 단위의 플랫폼 전환도 상당히 어려워질 것이다. 플랫폼을 제각기 따로 사용하면, 이전 비용이 과다하게 발생한다. 결국 플랫폼 전환을 꺼리게 되어 플랫폼 기업에 대한 종속화가 벌어질 수 있다.

둘째, 콘텐츠와 교과서 출판사 간의 폐쇄적 연계가 초래할 교육용 콘텐츠 부실화이다. 교육용 콘텐츠 시장에서의 규모의 경제화가 이루어질 수 없어, 콘텐츠 개발 투자가 부진해지고 양질의 콘텐츠 제공이 어려워진다.

셋째, 에듀테크의 단순 활용에만 머물고 있다. 해외표준 및 시험에 대한 전략이 부족해 국내 교과서 중심의 폐쇄화가 염려된다. 이미 글로벌 테크 기업은 교육산업을 선점하기 위한 경쟁에 돌입했다. 하지만 우리는 에듀테크 산업화 연계 전략이 없어 신성장 동력의 기회를 잃을까 우려된다.

넷째, 교육산업을 글로벌 수출 산업으로 육성하기 위한 전략이 전무하다. 에듀테크 기반 전면적인 공교육 혁신이 없다면 K-방산, 전자정부의 모델처럼 수출할 수 없고, 글로벌 진출은 불가능하다.

다섯째, 구축은 쉬우나 지속적 발전 및 과거 데이터 활용은 곤란한 시스템이다. ISP 형태의 기능 규격만으로는 상호운용성 보장이 불가능해 과거 한국교육학술정보원 (KERIS) 등에서 단일 시스템을 개발해 보급했다. 그러나 데이터 및 인터페이스 표준이 부재하면 레거시 시스템과의 연동이 어려워, 신규 시스템에서 과거에 구축된 데이터의 충분한 활용이 곤란하다.

여섯째, 콘텐츠 개발자와 업체는 사일로 형태의 파편화된 시장에만 참여해 개발업체는 영세화될 수밖에 없다. 표준이 없으면 세계시장 진출이 어려울 뿐 아니라, 각국의 요구사항에 대해 SI 형태의 커스터마이즈 비용이 과다하게 지출된다. 현 교육부 방식은 예산만 지속적으로 낭비하게 되고, 향후업체에 휘둘려 결국 차세대 나이스 실패 사례를 답습할 우려가 있다.

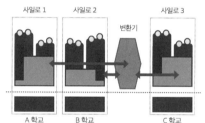
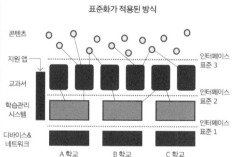

현행 교육부 방식 vs 표준화가 적용된 방식

현행 교육부 방식

- 콘텐츠 교과서, 학습관리시스템(LMS) 간 짝짓기(사일로)
- 교육 당국이 토털시스템 검증, 교육청, 학교가 선정
- 콘텐츠 교과서 LMS의 규모경제 미달(영세화)
- 시스템 업그레이드, 전환이 어려움

표준화가 적용된 방식

- 교육 당국이 필요한 표준을 제정(교육전문가, 개발자, 사업자 참여)
- 개발사는 표준에 따라 시스템, 콘텐츠 개발(경쟁을 통한 고도화)
- 시험을 통해 표준에 따라 개발된 시스템 검증(인증서 발급)
- 검증된 시스템을 오픈마켓을 통해서 자유롭게 선택하고 전환 가능

공교육 정상화를 위한 방법 공(公)교육이 공(空)교육으로 전락한 지 오래다. 공교육이 막장에 이르면 국가는 더 이상 발전할 수 없다는 것이 역사적 교훈이다. 공교육이 죽으면 미래가 없다. 자녀들이 죽어가는 공교육 환경에서 교육받아도 괜찮을까? 죽어가는 공교육을 살리기 위해선 어떻게 해야 할까?

첫째, 상대평가 등급제에서 완전 학습으로의 전환이 필요하다. 현행 제도는 학업 성취도를 1~9등급까지 분류하고, 학교 단위로 적용해 상대평가를 통한 교실의 정글화가 심각하다. 급우가 경쟁자이니 배려나 협력이 어렵고, 인성 교육의 걸림돌이 된다. 이 문제를 해소할 방법으로 온라인 평가를 고려해볼 수 있다. 온라인 시험을 통해 전국 단위의 상대평가가 가능하므로 급우와는 경쟁이 아니라 오히려 서로 격려하고 이끌어주는 관계로 발전할 수 있다.

둘째, 교사 작성의 학교생활기록부(이하 생기부) 방식에서 학생 작성의 포트폴리오 방식으로 전환해야 한다. 교사가 많은 학생을 면밀하게 파악해 생기부를 기록하는 것은 어려운 일이며, 과중한 부담을 준다. 생기부에 수록되는 정보 또한 제한적이다. 학생은 피평가자의 처지에서 교사와 종속적인 관계 또는 갈등 관계가 형성되기 쉽다. 학생이 자신의 학습 이력, 프로젝트 활동을 포트폴리오 형태로 기록하고, 이를 교사가 돕고 확인하는 형태로의 생기부 전환이 필요하다. 교사 업무 경감과 아울러 학생과의 관계가 개선될 수 있다. 이를 위해 학생에게 스마트 기기를 제공하고, 교사의 코칭 정보 등을 포함한 결과물은 클라우드에 보관해 디지털 형태의 블록체인 기술을 적용함으로써 작성 시점, 확인자를 통해 변조 가능성을 원천 봉쇄한다. 이렇게 만든 포트폴리오를 학생들은 진학, 취업 등에서 자신의 소개 자료로 활용할 수 있다. 과정을 기록하는 포트폴리오는 단편적으로 점수화된 성적보다 더 중요한 오랜 기간 누적된 다양한 정보를 제공한다. 성적만으로는 알기 어려운 창의성, 성실성, 문제해결 능력 등 다양한 것을 평가할 수 있으며, 학습 지향성에 대해 제시가 가능하다.

개인별 AI 학습의 시대 교육은 생성형 AI인 챗GPT 이전과 이후로 나뉜다. 이전 교육은 주로 기술에 대한 접근이 제한된 전통적인 교실 환경에서 이루어졌다. 하지만 이후 교육은 AI 기술을 사용해 개별 학생의 공부 스타일과 레벨에 맞게 효과적인 학습 경험을 제공한다. 그러나 챗GPT와 같은 생성형 AI를 교육 분야에 적용할 때 예상되는 문제들이 있다.

첫째, 질문에 대한 답변의 근거 자료 제시가 없어 신뢰성 판단이 어렵다.

둘째, 학생들의 수준이 고려되지 않은 일반화된 백과사전식의 답변보다 전문화된 답변이 필요하다.

셋째, AI로 학생 수준별 개별화 수업을 제공하기 위해서 교육 콘텐츠 제작에 상당한 시간, 노력, 비용이 발생한다.

넷째, 개발 시 다양한 검증 데이터셋을 사용하지 않아 제한된 질문에 대한 테스트 진행으로 실제 적용 시 다양한 어휘들의 사용으로 문제점들이 노출된다.

다섯째, AI 답변에 대한 맹목적인 신뢰로 인해 잘못된 답을 주는 경우에는 교육에 대한 신뢰를 잃는다. 예를 들면 AI를 이용한 바둑 교육이 AI에 대한 맹목적 신뢰로 선생님의 가르침을 무시하는 상황이 발생하고 있다.

그렇다면 생성형 AI를 교육 현장에 현명하게 적용할 수 있는 방법은 무엇일까? 생성형 AI에 대한 과도한 기대와 100% 기술에만 의존하는 것을 경계해야 한다. 교육은 분야의 특성상 신뢰할 수 있는 콘텐츠 내에서 답변을 생성하고 근거 자료를 제시해야 한다. AI를 잘 적용하기 위해서는 준비 시간과 비용을 줄이고, 제한된 범위 내에서 답변을 제공하는 서비스에 초점을 맞춰야 한다. 질문과 답변에 대한 히스토리를 반영해 대화의 맥락에 대한 이해를 높이고 개인화된 맞춤형 서비스를 구현해야 한다. 의미 검색 기술과 거대언어모델(LLM)의 대화 기능을 이용하면, 교사가 보유한 신뢰성 높은 교보재 콘텐츠(서책, 동영상 등)만으로도 짧은 시간과 저렴한 비용으로 개인화된 학습지원 서비스를 제공할 수 있다. 교사는 학생 수준별 모듈화 구성을 위해 개별화된 교보재를 등록함으로써 LLM을 통한 대화형 학습을 가능하게 하고, LLM 답변에 신뢰성을 보장할 수 있다. 교사별로 보유하고 있는 지식을 플랫폼 내에서 공유하면 엄청난 효과를 볼 것이다. 교육에 생성형 AI 기술을 적용해 성숙한 단계까지 도달하기 위해선 검증 데이터셋들을 활용하고 질의응답을 모니터링하여 교정과 피드백을 진행함으로써 실제 환경에 적용 시 발생하는 다양한 문제점들을 보완해나가야 한다. 또한 적용이 가능한 단순 서비스들부터 시작해 효과성을 증명해나가야 한다. 최근 교권 회복과 관련한 해결책으로 단순, 주말, 야간 민원을 챗봇으로 응대하려는 움직임이 있다. 교사 개인별로 등록한 매뉴얼 등을 기반으로 답변을 제공하는 서비스를 운영해야 한다. 생성형 AI 경쟁 시대는 질문을 어떻게 해야 하는지가 개인은 물론 국가의 경쟁력을 좌우하는 세상이다. 지금이야말로

AI를 이해하고, 활용이 가능하도록 공교육 시스템을 구축해야 할 때이다. 이것이 곧 공교육 정상화이고, 정부가 추진하는 교육개혁의 핵심이어야 한다. (출처 : 과학과 기술. 2023년. 10월 호)

3장.

사교육 없는 시대

반값 사교육비 시대

민생이 민심이다. 내 봉급 빼고 다 올랐다. 미친 듯이 폭등하는 물가로 인해 서민들의 시름은 깊어지고 있다. 고금리 속에 1,900조 원 향해 달리는 가계부채는 위험수위를 이미 넘어섰다. 가계부채는 경제성장률 저하, 물가상승, 소비·투자 부진 등 다양한 부작용을 발생시킨다.

정치인만 빼고 누구라도 할 것 없이 다들 살기 힘들다고 아우성이다. 정치권은 민생이란 간판을 내걸었지만 정작 서민에게 필요한 정책은 전무하다. 확실한 것은 총선을 앞두고 공천을 둘러싼 잡음이 끊이지 않고 있다는 것이다.

700만 소상공인, 812만 비정규직, 677만 자영업자는 연일 치솟는 물가와 고금리에 코로나19 팬데믹 시기보다 더 힘들다고 난리다. 전국 경제활동 인구는 2,880만 명으로 과반이 훨씬 넘는 서민들이 한계 상황에 내몰리고 있는 게 현실이다.

민생정치란 정치가 삶의 현장에서 서민을 만나 문제를 해결해 주는 것이다. 정부는 기초수급자 등 경제적 약자에게 선별적 지원을 하고 있다. 하지만 생활고로 세상을 등지는 안타까운 사건은 끊이질 않고 있다. 하루 4.3명꼴로 20대가 꽃다운 생을 마감하는데, 그중 19%는 생활고였다.

지금 정말 중요한 것은 민생 살리기다. 민생정책은 바로 현장에 적용되어 국민이 눈으로 보고 손으로 만지며 피부로 느낄 수 있어야 한다. 10년 전에 사용했던 흘러간 정책은 공염불에 불과하다. 빠듯한 살림살이에도 국내 가구의 교육비 지출 증가는 11분기 연속 이어지고 있다.

이러한 부모들의 아픈 마음을 달래주기 위해서는 사교육비 지출을 반으로 줄이는 정책이 필요하다. 전국 유·초·중·고 학생 수는 5,879,768명, 대학생은 3,117,540명이다. 학부모와 교육 관련 종사자를 포함하면 국민의 2/3이상이 사교육과 관련이 있다.

일반고 학생 2명이 있는 4인 가구의 중위소득 경우 가계 지출의 40%를 사교육비로 대느라 정상적인 소비생활을 못 한다. 하물며 중위소득의 50% 이하인 계층에게 학생 1인당 사교육비 평균 52만 원의 지출은 가계에 엄청난 부담이다. 사교육 망국론은 결코 과장이 아니다.

사교육비 부담에서 벗어나게 해주는 것이 진짜 민생 살리기다. 교육 수요자 가슴에 와닿는 반값 사교육비 시대 실현을 위한 '인공지능(AI) 플랫폼 기반 개인별 맞춤 학습 도우미' 정책을 제안한다.

전국 시도 교육청에 26조 7,893억 원의 기금이 잠자고 있다. 26조 원의 약 50%인 13조 원을 활용하면 반값 사교육 시대를 열 수 있다. 학습 지원금 50%를 디지털 화폐를 통하여 2~3회 순환시키면 학부모의 사교육비 지출을 절반으로 줄이고 내수도 살릴 수 있다.

지원금을 받은 학습 보조 튜터는 지역 내에서 1개월 안에 사용하고 소상공인들은 받은 쿠폰을 2개월 안에 사용할 것을 조건으로 걸면 시중에 돈이 선순환되어 소비·소득·세수가 증가해 민생경제가 활성화될 수 있다.

교육부가 사교육 열풍을 잠재울 근본 대책을 외면해 온 사이 가정은 멍들고 나라 경제는 소비 부진에 위축되었다. 현재 가장 필요한 민생 살리기는 학부모의 사교육비 지출을 반값으로 덜어주는 것이다.

교육개혁의 첫 단추는 반값 사교육 시대 열기부터다. 정치권은 당리당략 싸움 그만하고 민생이나 챙겨라. (출처 : 국가미래연구원. 2023. 12. 27.)

사교육 1번지 민낯

대한민국의 사교육 1번지는 대치동이다. 대치동 학원가를 분석하는 것은 곧 대한민국 교육의 현주소를 파악하는 것이다. 이 지역에서는 자녀들을 학원에 보내기 위해 전입했다가 수능이 끝나면 다시 떠나는 일이 무한 반복되며 강남 불패 신화를 만들어낸다.

학군이란 통학 가능한 지역 안에 있는 학교 묶음을 지칭한다. 서울의 강남·서초구가 강남 8학군이다. 정부는 1970년대 강북의 명문고를 대치동·삼성동으로 강제 이전시켰다. 자녀들을 명문고에 입학시키기 위해 부모들이 강남으로 전입한 것이 8학군 전설의 시작이다.

주입식 교육을 탈피하고자 1994년 도입한 대학수학능력시험(수능)으로 인해 사교육의 수요가 폭발적으로 늘어났다. 대치동에 대형학원이 문을 열자 학생이 몰렸다. 학생이 몰리자 학원이 생기고 이에 따라 학생들이 찾아오는 선순환 사교육 생태계가 만들어졌다.

2000년대 메가스터디 등 온라인 학원 출현으로 1타·스타 강사가 탄생했다. 부유층·고학력 엘리트 주민들의 사교육 심리를 노린 학원업계가 대치동 사교육을 지탱하고 있다고 해도 과언이 아니다. 대치동 학원가는 교육 소비자와 서비스 공급자로 나눈다. '대원족'은 대치동 원주민, '연어족'은 대치동 인근 재건축 단지로 돌아온 대원족 자녀들, '대전족'은 대치동에 거주하는 전세 전입자, '원정족'은 대치동 학원가로 자녀를 원거리 통학시키는 이용자를 일컫는다.

돼지엄마는 교육열이 매우 높고 정보에 정통하다. 대치동은 유난히 카페가 많은데 자녀를 명문대에 보낸 돼지엄마가 자녀를 기다리는 젊은 엄마들에게 학원과 강사에 대한 평가를 해주며 코치가 된다. 나중에 돼지엄마가 학원을 차린 경우가 많다. 연어족·대전족·원정족은 카페맘·아카데미맘과 최신 정보를 공유한다. 학원은 원장과 운영진, 스타 강사, 롱테일 강사, 스터디 카페·입시카페·입시센터, 입시연구소장, 스타 강사·아이돌 강사들과 온·오프라인 교육으로 협력·공생관계를 맺고 있다.

학원들은 킬러문항과 준킬러문항을 생산해 낸다. 킬러 출제 문항은 그들의 손바닥을 벗어나지 못하고 있다. 킬러문항을 잘 준비해주는 학원에 대한 신뢰가 커 학원 수업에 올인하면서 학교 수업은 소홀히 하는 공교육의 현실이 안타깝기만 하다. 사교육 열풍은 학부모·학생들 간 무한 경쟁을 부추기고 있고 명문대학에 입학하려고 대치동 입성에 사활을 걸었다. 사교육 번창의 본질은 학벌주의에 있다. 과도한 교육열이 만든 사교육 전성시대라는 악순환의 고리를 떨쳐내야 한다.

공교육 피폐의 원천은 무엇일까. 교권 침해, 과도한 학생 인권 보호 및 민원 등으로 인해 교사들의 열정이 식고 존경받는 선생님이 아닌 직업인으로서의 교사 역할을 하는 상황에 대해 고민해볼 필요가 있다. 학교 교육의 정상화를 위해서는 교사가 중심에 있어야 한다는 점을 간과해서는 안 된다.

교육 불평등을 완화하기 위해 인공지능(AI)의 활용 역시 고려해 볼 수 있다. 효과적인 학습이 이루어지기 위해서는 무엇보다 학생 자신의 수준을 명확하게 진단하고 맞춤형 학습 내용을 처방받는 것이 중요하다. 대치동의 개인별 맞춤형 교육 시스템을 AI 공교육에 도입하는 데서 공교육 정상화의 해법을 찾을 수 있다. (출처 : 매일경제. 2023. 07. 18.)

사교육 없는 시대

대한민국은 사교육 공화국이다. 공(公)교육은 사(死)교육으로 변질한 지 오래다. 유독 사교육 의존도가 높은 이유는 명문대학에 입학했을 때 얻을 수 있는 프리미엄이 너무 크기 때문이다. 어느 대학을 나왔는지에 따라 취업과 결혼까지 좌우되는 것이 우리 사회의 민낯이다.

좋은 직장과 고수익, 사회적 평판, 선망하는 소수 전문직 일자리는 그들만의 리그다. 경쟁에서 뒤처지지 않으려면 우수한 대학에 입학하는 것밖에는 달리 방법이 없다. 사교육에 필사적으로 매달리는 본질은 소수 엘리트 독점 사회 구조에서 찾을 수 있다.

학부모들은 자녀들을 좋은 대학에 보내기 위해 학원은 선택이 아닌 필수다. 일부 성적 최상위권 학생들의 목표는 오롯이 의사가 되기 위해 문제 풀이에 몰두하고 있다. 사교육 문제의 원천은 대학 서열화, 학벌주의가 만연한 사회다.

지난해 전국 유·초·중등학교 수는 2만 696개, 교원 수는 50만 7,783명이다. 하지만 학원 수는 8만 5,841개, 사교육 강사는 54만 9,900명(2020년), 관련 종사자까지 합한다면 교원 수의 2배에 이른다. 사교육 참여율은 78.3%, 사교육 참여 학생은 매달 52만 4,000원을 지출하고 있다.

　사교육비 총액은 약 26조 원으로 교육부 예산 89조 6,291억 원의 30%에 근접하고 있다. 바야흐로 사(師, 의사·醫師)교육 전성시대다. 역대 정부에서 교육개혁 실패가 반복되는 원인은 문제의 근원을 건드리지 않고 입시 제도만 수시로 바꿨기 때문이다. 사교육은 심리다. 떠들수록 불안 심리가 증가한다.

　고등학생 과반수가 수학 때문에 학원에 다니고 인터넷 강의 매출의 50% 이상이 수학에서 나온다. 수학이 사교육의 가장 큰 비중을 차지한다. 수학은 기초가 없으면 더 이상 진도를 나가기 어렵다. 학원은 수준별로 나누고 레벨별로 문제 풀이를 하는데 학교는 그렇게 하기 힘들다. 수학을 공교육에서 해결해 주면 학원에 갈 필요가 없다.

　한국 사회의 최대 병폐인 사교육을 교육청의 기금을 활용하면 해결할 수 있다. 전국 유·초·중·고 학생인 588만 명에게 공교육 쿠폰을 지급하고, 수준별로 학생 10명당 1명의 질 높은 학습 도우미를 배정한다. 공교육 도우미의 역할은 진학과 진로 지도와 공부 방법 조언, 챗GPT 활용, 수학·국어·영어 등 과목에 대한 개별 질문에 대해 이해하기 쉽게 답변을 해준다.

　남아도는 교육청 기금을 활용해 최고의 강사를 공교육 인터넷 교사로 초빙해야 한다. 전국의 학생들이 맞춤형 수학과 과목별 최고의 강사 강의를 EBS를 통해 무료로 들을 수 있게 시스템을 구축해야 한다. 그리고 학습 도우미와 함께 인공지능(AI)을 잘 활용한다면 사교육 시대는 저물어 갈 것이다. (출처 : 매일경제. 2023. 07. 10.)

킬러문제 배제한 공정 수능 실현 해법

'킬러문제'란 수험생들의 점수와 정신을 킬(kill) 한다는 뜻으로 통한다. 응시생을 엿 먹이려고 비비 꼬아 만든 문제다. 상위권 수험생을 추려내기 위한 의도적으로 초고난이도 문제를 일컫는다. 대다수가 맞히라는 문제가 아닌 극소수 학생만 맞춰야 하는 전제가 깔려있다. 출현한 배경은 상대평가에서 변별력을 높이기 위해서다.

킬러문항에도 원칙이 있다. 어떻게 해서든 응시생 대다수가 틀려야 한다. 문제 풀이 시간 분배를 위해 대부분 시험지 뒷부분에 배치돼 있다. 고약하게 앞에 넣는 경우도 종종 있다. 종류도 다양하다. 사고력과 문제해결력을 높여 평가의 긍정적 요인으로 활용되는 중상위권이 풀 수 있는 준킬러, 누구나 쉽게 푸는 비킬러문항이 있다.

킬러문제가 증가하게 된 것은 교과 학습 수준이 떨어져 학생들의 실력 상향평준화를 이루게 된 후 변별하기가 어려워졌기 때문이다. 1990~2000년대 수능에서는 선택과목이 10개 이상으로 400점 만점에 대략 25개 틀려도 350점 중반으로 0.5%에 들어 최상위 대학에 입학할 수 있었다.

하지만 지금처럼 과목과 범위를 턱없이 줄인 상황에서는 변별력을 가릴 수 없다. 수능이 30년 동안 시행되면서 문제집·인터넷 강의가 고도로 발달해서 일반적으로 출제하면 과목별 만점자가 너무 많이 나오는 것을 막기 위해 킬러문제가 필요했다.

지난해 수능 응시자가 44만 명인데, 1등급은 4%다. 서울 중상위권 대학도 실제 합격이 만만치 않고 수시의 최저학력기준을 맞추기 위해 킬러 문제를 맞히기 위한 노력을 계속해야 한다. 상위권 대학과 인기 학과에 입학하려면 반드시 킬러문제를 맞춰야 하는 게 현실이다.

킬러문제는 고비용 사교육을 조장하고 공교육을 무력화하는 심각한 부작용을 야기하고 있다. 그렇다면 킬러문제를 배제하고 공정 수능을 어떻게 실현해야 할까.

첫째, 킬러문항의 정의다. 교육부가 킬러문제에 대한 명확한 규정과 잡아낼 수 있는 법규를 입안해야 한다. 사교육을 받은 1% 이내 극소수 학생들만 풀 수 있는 문제가 킬러문제이기에 아예 정답률을 공개해 평가해야 한다.

둘째, 출제 기조를 전면 바꿔야 한다. 국어·영어·수학·한국사·사회탐구·과학탐구 영역에서 과목별 난이도 조정이다. 상대적으로 정답률이 높은 준킬러문항을 늘려야 한다. 9월 모의평가부터 실시하도록 세심하게 준비해야 한다.

셋째, 공교육정상화법 개정이다. 현재 대학은 선행학습 영향평가 운영 규칙에 따라 선행학습 영향평가 대상 문항을 선정하고, 고교 교육과정 범위 및 수준 준수 노력을 꾀하고 있다. 공교육 정상화 촉진 및 선행교육 규제에 관한 특별법(공교육정상화법)을 개정, 수능을 사전영향평가 대상에 포함해야 한다. 또 선행학습 금지 위반 대학 명단을 밝혀야 한다.

넷째, 수능선행학습영향평가위원회 운영이다. 교육부 산하에 설치하고, 시도 교육청이 추천하는 고교 교사로 구성하여, 수능과 모의고사 출제 전후에 평가 보고서를 내게 하면 킬러문항을 배제할 수 있다.

다섯째, 수능에 단답형 주관식 도입이다. 2028년 수능이 논·서술형으로 바뀐다. 현재 수능 수학의 경우 한두 자리 숫자를 답으로 하는 주관식 문제를 출제하고 있다. 다른 과목도 한글 10글자, 영어 3~4단어, 아라비아 숫자가 포함된 단답형 답안을 쓸 수 있게 한다면 공교육 교과 범위에서도 난이도 큰 문제를 낼 수 있다.

여섯째, 교과 통합과 과목 융합 문제를 확대한다. 공교육 교과 내의 문제라도 국어와 수학, 수학과 영어, 사회와 과학이 융합되면 문제의 난이도가 높아진다. 수능 초기에 사회탐구나 과학탐구라고 하여 통합된 사회와 통합된 과학이 출제된 적이 있었다. 공식적으로 수능의 교과 통합을 용인해도 변별력을 높일 수 있다.

일곱째, 교육과정평가원의 역할 재정립이다. 공교육을 정상화하고 가르치는 내용을 가지고 변별이 가능한 그런 수능 문제를 출제해야 한다. AI를 활용하면 논·서술형 문제 출제와 채점이 가능하다. 평가원에서 초·중·고 전 학년의 중간·기말 고사, 수행평가 심지어 학생들의 발표와 토론도 'AI자동채점시스템'을 구축하면 가능하다. 2028년 이후 수능 채점 준비를 전격 도입하기 전에 사전 모의시험을 하면 된다.

마지막으로 대치동 과외를 AI EBS로 도입해야 한다. 사교육의 성지인 대치동의 학원들은 강의보다는 틀린 문제만 설명해주는 방식을 채택하고 있다. 철저하게 수요자 맞춤형 과외가 경쟁력이기 때문이다. AI시대 인터넷 강의를 대체하는 학생 수준에 맞는 'EBS AI 코칭 방과 후 보충학습'을 하면 교육격차를 줄이고 공정 수능을 실현할 수 있다.

사교육은 망국병이다. 이번 기회에 사교육을 부추기고 입시 공정성을 해치는 선택형 대학입시제도를 '논술형 AI 채점 방식'으로 대전환해야 한다. (출처 : 국가미래연구원. 2023. 06. 21.)

4장.
AX시대 교육개혁

AI시대와 평가 혁신

전 세계에서 가장 재미없는 공부를 제일 오래 하는 국가는 어디일까. 주입식 교육 체계를 가진 대한민국이다. 경제협력개발기구(OECD) 국가 대부분이 1주일에 30시간 내외를 공부하지만, 한국 학생들은 유일하게 50시간을 공부한다. 사교육비 지출도 세계 1등이다. 우리는 공부를 위해 돈, 시간, 노력을 엄청난 투자를 하고 있지만 세계에서 제일 비효율적인 교육 구조를 갖고 있다.

원래 공부는 재미없을 수밖에 없다. 대부분 학생이 공부를 싫어하고 게임을 좋아하는 이유는 간단하다. 게임은 짧은 시간에 결과가 나오지만, 공부는 보상받기 위해선 오랜 시간이 필요하기 때문이다. 재미없는 공부를 잘 참아야 공부를 잘할 수 있다. 학생들은 학년이 올라가면 올라갈수록 학업에 대한 불안감과 부담에 지친다.

대개 학생들은 학원을 왜 가는지, 공부를 왜 하는지 모르는 경우가 대부분이다. 공부하는 이유는 '그냥 남들이 하니까' '혼날까'이다. 자기 주도로 공부 계획을 세우지 않더라도 학원의 과목별 강좌를 수강하면 그만이다. 선행학습을 통해 배운 내용을 학교에서 교사가 가르치니 관심이 없어서 집중력이 떨어진다. 한마디로 학교 교육이 재미없으니 잠을 잘 수밖에 없는 것이다.

공부에 재능이 없어도 모든 학생이 명문대 입학을 원한다. 취업준비생 모두가 대기업에 들어가고 싶어 한다. 인원은 한정돼 있으니 무한 경쟁을 할 수밖에 없는 환경이다. 친구를 떨어뜨려야 내가 사는 '너 죽고 나 살자' 초경쟁주의 교육으로 변질한 지 오래다. 학생들에게 미래에 무슨 일을 할 것인지 꿈을 심어주고 목표를 이루기 위한 동기 부여가 필요하다.

한국교육의 본질적 문제는 평가 만능주의에 매몰돼 있다는 것이다. 수능이 상대평가 위주이기에 한 문제만 틀려도 인생이 달라지는 현실에 학생들은 열패감에 사로잡혀 있다. 수단과 방법을 가리지 않고 높은 점수를 받는 자체가 교육의 목적으로 변질했다.

영재테스트에서 상위 5% 이내에 들어야만 유명 영어유치원의 입학시험 응시가 가능하고, 재수까지 하는 '4세 고시'는 사교육의 줄 세우기 시작점이다. 이제는 수능과 내신 평가 모두 오지선다형에서 벗어나 서·논술형 문항 등의 질적 평가 요소를 도입해 학교 교육이 미래 사회를 살아갈 수 있는 역량을 길러주는 교육이 되도록 해야 한다.

인공지능(AI) 시대에는 평가 방식이 달라져야 한다. AI 자동 채점기를 활용하면 동시에 수십만 명까지 채점자 주관을 배제하고 공정하게 평가할 수 있다. 비교과 동아리, 봉사활동, 토론과 발표도 AI를 활용해 평가할 수 있다. 학교의 중간·기말고사도 한국교육과정평가원의 관리하에 담당 교사의 참여 없이 진행할 수 있다.

학교 수업 역시 토론·참여 학습 중심으로 이루어지면 자는 학생도 없을뿐더러 비판적 사고에 기반한 문제해결 능력을 함양시킬 수 있다. 무너진 학교 교육을 바로잡으려면 교수·학습 및 평가 방식을 바꿔야 한다. 교과·교사·학생의 특성을 고려해 평가 방법을 개선해야 한다.

상대평가를 절대평가로, 결과 중심 평가를 과정 중심 평가로, 선발 중심 평가에서 성장 지향 평가로 전환해야 한다. 평가의 혁신 없이는 공교육의 정상화는 불가능하다. 교육 개혁의 첫걸음은 평가 혁신이기 때문이다. 교육 개혁의 성공은 평가 혁신에 달려 있다. (출처 : 매일경제. 2023. 08. 20.)

지금이 공교육 대전환 적기

학생은 학교에서 잠잔다. 교사는 깨우질 않는다. 공교육은 잠든지 오래됐지만 깨어날 기미가 보이지 않는다. 킬러문항으로 촉발된 뜨거운 논쟁이 잠자는 공교육을 깨워야 한다. 변별력 문제는 수능 논·서술 시험을 인공지능(AI)으로 채점하면 사라지고, 공정성 문제도 AI를 활용하면 해결된다.

학생은 학원에서 공부하고 학원 강사가 교사를 대체한 기막힌 상황이 펼쳐지고 있다. 이것이 AI시대 대한민국 교육의 민낯이다. 교육의 주체는 학생·교사·학부모다. 하지만 교육정책은 교육 현장의 고민도 모르는 정치인이 나서서 반복된 실수를 거듭하고 있다.

공정성을 확보해야 하는 고교 내신, 수능, 대학별 고사를 시도 때도 없이 바꿔 초·중·고 교육은 대입의 종속물로 전락했다. 즐거운 학교생활이 아니라 대입을 위한 고통스러운 문제 풀이 연습장일 뿐이다. 교육의 수단인 수능이 교육의 목표가 된 아이러니한 현실을 부정하기 힘들다. 결국 한국교육은 시대 변화에 적응하지 못해 고사 직전이다.

그렇다면 AI시대 공교육 대전환을 어떻게 해야 할까.

첫째, 교육체제의 대전환이다. 현 교육체제는 산업인력을 효율적으로 양성하는 것을 목적으로 산업화 시대 경제발전의 근간이 되었다. 하지만 지금은 창의력이 필수인 AI시대다. 6(초)·3(중)·3(고)·4(대)·2(대학원)인 교육체계를 5(초)·3(중)·4(고)·3(대)·3(대학원)으로 전환해야 한다.

둘째, 교육과정의 대혁신이다. 현재 고등학교 교육은 대학 입시를 준비하는 수업으로, 대학은 취업하기 위한 취직학원의 성격을 지니고 있다. 고등학교만 졸업하면 바로 취업할 수 있도록 '사회 진출 패스트트랙'을 운영하면 인구 감소로 인한 인력난도 줄일 수 있다.

셋째, 수업방식의 대전환이다. 교사는 일방적 지식 전달 수업을 하지 말아야 한다. 챗GPT를 활용해 학생 스스로 지식을 습득할 수 있도록 도와야 한다. 교사는 과목별로 지적 호기심을 자극하고 문제의식을 느끼게 해야 한다. 교사는 학생의 질문에 대한 컨설턴트 역할을 담당한다.

넷째, 시험과 평가의 대변화다. 교육의 주된 형식을 문제 풀이에서 발표·토론으로 바꾸면 사교육이 당연히 힘을 잃게 된다. 토론·발표에 공정성과 효율성을 확보할 수 있는 '국가 고사 AI 채점·평가 시스템'을 운영하고 자동 채점한 성적은 한국교육평가원이 관리·보관한다.

다섯째, 대학의 대개혁이다. 대학이 최신 기술을 기반으로 창업의 메카로 거듭날 수 있도록 개혁해야 한다. 학위에서 자격으로, 학문에서 실용·산업으로 전환해야 한다. 대학 중심의 교육체계를 고등학교, 대학·대학원 중심의 2원적 교육체계로 만들면 국가경쟁력을 올릴 수 있다.

마지막으로 진로의 대혁신이다. 일반고와 직업고로 나누는 진로 선택의 1단계, 대학 졸업 후 취업·진학의 선택 2단계, 대학원 진학 후 전문가 자격 및 박사학위 취득을 위한 심화 진로 선택 3단계로 분리 운영하면 진로·진학에 대한 학생·학부모의 불안을 떨쳐낼 수 있다. 미래세대를 위한 교육 대전환에 대한 투자를 계속 늘려야 한다. 지금이 그 새로운 출발점이다. (출처 : 매일경제. 2023. 07. 02.)

챗GPT 시대 교육혁신, 무엇부터

챗GPT 열풍이 전 세계를 뒤흔들고 있다. 교육은 챗GPT 이전과 이후로 나뉜다. 이전 교육은 주로 기술에 대한 접근이 제한된 전통적인 교실 환경에서 이루어졌다. 하지만 이후 교육은 AI 기술을 사용하여 개별 학생의 공부 스타일과 레벨에 맞게 효과적인 학습 경험을 제공한다.

챗GPT는 전통적인 학습 방법을 변화시키고 학생들의 성장과 발전을 위한 새로운 기회를 창출할 것이다. 오토 챗GPT를 거쳐 머지않아 슈퍼 챗GPT가 출현하면 교육의 패러다임은 완전히 바뀐다. 챗GPT 시대 교육은 교사에게 '무엇을 배웠느냐'보다 학생이 '어떤 질문을 하느냐'가 중요하다.

현재 우리 교육 현장은 학원에서 입시 위주의 수업을 하고, 학교는 잠만 자는 죽은 교실이 된 지 오래다. AI시대 교육은 학생 스스로 문제를 창의적으로 해결하고 경험하는 것이 무엇보다 중요하다. 챗GPT 시대 교육은 수업내용·교육과정·학습방법·학습환경·국정목표가 완전히 달라져야 한다. 그렇다면 챗GPT 시대 교육혁신은 무엇부터 해야 하는가?

첫째, 수업내용이다. 대학 수업은 산업계 현장과 유기적으로 연계되어 실제적 창의적 문제해결 활동을 수행하고 결과물을 창출할 수 있는 역량개발 중심 교육으로 전면 개편해야 한다. 유네스코에서 지속가능발전교육 프로젝트로 인증받은 한양대 IC-PBL(Industry Coupled-Problem Based Learning) 교육 플랫폼 도입으로 수업 혁신을 일으켜야 한다.

둘째, 교육과정이다. 미국 대학에서는 다수의 교수가 AI 툴을 통해 교육과정을 표준화했다. 동일 학과 내 교수들은 맡은 수업을 비디오 클립으로 모듈화해 표준화 온라인 과정을 만들었다. 수업은 거꾸로 학습(flipped learning)으로 운영되고, 오프라인 강의는 교수와 학생 간 토론식 강의로 이루어진다. 개별 맞춤형 지도를 강화하는 교육과정으로 전면 개편해야 한다.

셋째, 학습 방법이다. 챗GPT 커리큘럼 개발을 통해 교실에 챗GPT를 도입해야 한다. 학생별 맞춤형 학습을 위한 AI 기반 디지털 교육 도구 및 플랫폼을 구축해야 한다. 교사가 챗GPT 활용하는 데 필요한 역량을 갖추도록 교육 연수 프로그램을 강화해야 한다.

넷째, 학습환경이다. 학교 교육을 받은 학생은 누구나 AI를 이해하고, 만들고, 활용이 가능하도록 공교육을 정상화하는 것이 시급하다. 대한민국에서 공교육을 이수한 학생은 누구든지 AI 기술 활용해 창업을 할 수 있어야 한다. 공교육에 AI 실제 체험 교육과정을 도입하면 좋은 일자리 창출로 지속적 경제성장이 가능하다.

마지막으로 국정 목표다. 교육개혁의 비전은 광복 100주년인 2045년 'AI G3' 도약이다. 목표는 '세계에서 챗GPT를 가장잘 사용하는 나라 만들기'다. 캐치프레이즈는 학교에서 사회로(School to Society)다.

산업화 시대 '한강의 기적'을 이룬 박정희, IMF 위기를 극복해 'IT 강국' 초석을 닦은 김대중 전 대통령의 궤적은 AI시대 교육혁신 대통령을 꿈꾸는 지도자에게는 더할 나위 없는 교과서다. 챗GPT 교육체제로의 대전환이 대한민국의 운명을 좌우한다. (출처 : 매일경제. 2023. 05. 24.)

AI 활용 능력이
개인·국가 경쟁력 좌우할 것

박정일 경기도교육연구원장
인공지능 시대 선도할 인재 공교육으로 기를 수 있어
보수·진보 교육이념 떠나 일관성 있게 정책 추진해야
'챗GPT 시대에~' 저서 출간

 "박정희 대통령이 산업화로 '한강의 기적'을 이뤘고 김대중 대통령이 'IT 강국'의 초석을 쌓았듯이 이제는 교육개혁으로 '인공지능(AI) 시대'를 선도할 인재를 양성해야 합니다."

 박정일 경기도교육연구원장이 매일경제와의 인터뷰에서 AI 교육의 필요성을 주장하며 이같이 말했다. 2013년 설립돼 올해 개원 10주년을 맞은 경기도교육연구원은 교육정책 연구·조사를 통해 경기도교육청의 활동을 지원하는 기관이다. 경기도교육연구원은 전국 시도 교육청 산하 연구원 중 유일하게 재단법인·지자체 출연기관 형태로 설립돼 교육청으로부터 상대적으로 높은 독립성을 가지고 운영된다. 삼성SDS 도쿄사무소장, 한양대 컴퓨터소프트학과 겸임교수, 대한민국 AI 클러스터 포럼 위원 등을 지낸 박 원장은 지난해 9월에 경기도교육연구원장으로 취임했다. 그가 AI와 교육의 융합을 다룬 저서 '챗GPT 시대에 묻는 교육의 미래'를 최근 출간했다.

박 원장은 다가올 AI시대에 필요한 인재를 공교육이 양성해야 한다고 밝혔다. 머지않아 산업 현장과 일상에 AI가 확고히 자리 잡을 것이므로 미래세대에게 AI 활용 능력을 길러줘야 한다는 주장이다. 경기도교육연구원은 박 원장 취임 이후 AI 교육, 현장 중심 교육 등을 핵심 연구과제로 추진하고 있다. 박 원장은 "AI 챗봇 '챗GPT' 등 AI의 발전이 놀랍도록 빠른 속도로 진행되고 있고 AI시대의 인재상은 과거와 확연히 다르다"라며 "과거 김대중 정부가 '국민이 세계에서 컴퓨터를 가장 잘 쓰는 나라' 되기에 매진했듯이 '세계에서 AI를 가장 잘 쓰는 나라'를 목표로 교육개혁에 매진해야 한다"라고 강조했다.

박 원장은 AI 인재 양성을 위한 교육개혁이 공교육 정상화와 맞물려 진행될 수 있다고 주장했다. AI 교육을 위한 교육 인프라스트럭처 구축은 많은 비용이 들어 국가적 사업으로 진행돼야 하고 민간에서 할 수 있는 역할은 제한되기 때문이다. 박 원장은 AI시대에는 명문대 진학을 위한 사교육이 힘을 잃을 거라고 진단했다. 박 원장은 "앞으로는 AI를 활용해 재화와 서비스를 창출하는 능력이 개인의 가장 중요한 경쟁력이 될 것"이라며 "고등학교만 마치면 AI를 이용해 업무와 개발, 창업하는 능력을 갖출 수 있도록 공교육이 시스템을 구축해야 한다"라고 말했다.

　박 원장은 AI 교육에 있어서 만큼은 교육 관계자들이 이념과 진영 논리를 극복해야 한다고 밝혔다. AI 인재 양성은 그 필요성을 보수·진보 진영에서 모두 인정하고 있고 입시 제도 등 다른 교육 이슈와 달리 구체적인 방향도 합의가 가능하다는 설명이다. 박 원장은 "천문학적 비용을 쏟으면서도 기존 교육개혁들이 실패한 것은 정권마다 정책이 뒤바뀌는 등 교육을 정치의 영역에서 분리하지 못했기 때문"이라며 "AI시대를 선도할 인재를 적기에 배출하기 위해서는 장기 계획을 세우고 정책을 일관성 있게 밀고 나가야 한다"라고 강조했다. (출처 : 매일경제. 2023. 05. 29.)

5장.

민생과 교육개혁

민생경제 살리기 해법

22대 총선이 6개월이 채 남지 않았는데 민생경제에 빨간불이 켜졌다. 소상공인 자영업자 중소기업 등 다들 못 살겠다고 아우성이다. 총선의 승패는 민생경제 살리기에 달려 있다고 해도 과언이 아니다. 필승 선거 슬로건은 '바보야 문제는 민생경제 살리기야'가 될 것이다.

민생경제가 어려워지는 근본 원인은 무엇일까. 첫째, 돈맥경화다. M2는 3,744조를 넘어 사상 최고치를 기록했다. 풀린 유동성에도 돈이 돌지 않게 된 이유는 경기침체가 꼽힌다. 시중에 풀린 자금이 소비나 투자로 흐르지 않는데 물가만 오르고 있다. 통화승수가 지속적으로 감소하고 있는 게 문제다.

둘째, 내수 부진이다. IMF 시절 보다 장사가 되지 않는 바닥 경기인 상황이다. 수출이 늘어나면 자연 내수가 살아날 만도 한데 수출도 꼬꾸라지고 있으니 경기가 살아날 기미가 보이질 않는다. 기업과 개인에게도 불황 자체보다 더 큰 근본적인 원인은 미래 불확실성이다.

셋째, 미래에 대한 희망이 없다. 민생경제가 어려워지는 본질은 단기적인 경기대책이 없어서가 아니라 장기적인 성장전략이 없어서다. 전술은 있으나 전략이 없다. 지금 당장 바닥 경제의 문제가 아니라 한국경제의 미래에 대한 확실한 비전이 없기 때문이다

넷째, 정권 따라 바뀌는 경제정책이다. 문재인 정부는 세금을 많이 걷고 재정 지출을 늘렸지만, 부동산 가격 폭등으로 정권을 잃었다, 윤석열 정부는 감세가 초래한 역대급 세손 결손 59조 원이 발생해 아껴서도 적자가 되는 상황이다. 올해 말 관리재정수지 적자는 80조 원까지 늘어날 것으로 전망된다.

다섯째, 처음으로 1100조 원을 돌파한 국가채무이다. 늘어나는 나랏빚과 재정적자가 민생경제를 더 어려워지게 만들고 있다, 세수를 줄이고 정부지출을 삭감하였지만, 경기가 나빠지고 있다. 정부가 재정 지출을 통해 내수 진작과 물가안정을 동시에 이루어야 한다.

여섯째, 정부 재정 지출의 비효율성이다. 정부나 지자체 돈은 먼저 쓰는 게 주인이라는 말이 있다. 전국 243개 자치단체 중 흑자 재정은 서울 강남·서초구 등 소수에 불과하다. 거의 대부분 시·군·구가 재정적자임에도 불구하고 서민 생활과 직접 관련성이 별로 없는 토목 공사에 수천억 원을 지출하고 있다.

일곱째, 정치권력의 토착 비리다. 정치인은 지방 세력과 밀착해 부패·비리를 통해 사익을 취하고 있다. 토호 세력들은 사회

적 지위와 경제적 부를 기반으로 지방정부의 지원을 통해 더 많은 이득을 취하는 실정이다. 캐도 캐도 끝없는 신재생에너지 사업 비리가 이에 해당한다.

마지막으로, 나랏돈이 줄줄 샌다. 지역 균형발전과 지역 숙원 사업이라는 미명에 예타 면제를 통해 대규모 예산이 시설 공사비로 지출되지만 대부분 지역 주민들은 혜택을 받지 못하고 있다. 뻥튀기 수요 예측으로 적자의 늪에 빠진 시설에 재정지원을 하는 악순환이 계속되고 있다.

그렇다면 내수를 살리고 경제 활성화를 하기 위해서는 어떻게 해야 할까.

첫째, 디지털 화폐로 예산을 집행한다. 중앙·지방정부의 예산을 디지털 화폐로 집행해서 2~3년 동안 그 흐름을 감시하면 비리를 많이 줄일 수 있다. 디지털 화폐로 돈을 뿌리고 뿌린 돈을 세금으로 다시 회수하는 방법이 있다. 2024년 예산안 657조 원 중 일부를 디지털 화폐로 시행하면 된다. 문제는 정책 입안자들이 서민 경제의 어려움이나 고통을 잘 모르고 지역화폐에 대한 부정적인 시각을 가지고 있는 게 걸림돌이다. 한국은행의 디지털 화폐(CBDC)를 활용하면 두 마리 토끼를 잡을 수 있다.

둘째, 디지털 화폐로 '뉴 뉴딜정책'을 시행한다. 정부지출이 소득 창출에 미치는 몇 배의 효과를 낸다는 것이 케인즈 승수(乘數) 효과다. 이 이론에 따르면 불황기 정부가 재정 지출을 늘리면 정부지출보다 몇 배나 큰 국민소득 증가를 가져와서 결국 세수가 증가할 수 있다고 한다.

케인스 투자승수 이론에 바탕을 둔 문재인 정부의 뉴딜정책은 지폐 시대 정책으로 인플레이션이 생기는 부작용이 발생한다. 소비가 활발하여 돈이 돌게 되면 모두가 행복할 텐데 현실은 돈맥경화에 따른 소비 부족이라는 문제를 야기한다.

문재인 정부는 소득주도성장과 뉴딜 정책 추진해 세수가 확대되었지만, 시중에 돈이 선순환되지 않고 부동산 투기로 몰려 가격 폭등으로 정권이 교체되는 상황을 맞았다. '뉴 뉴딜정책'은 디지털 화폐를 활용해 정부가 돈을 풀어도 경제가 좋아져, 뿌린 만큼 추가 세수가 생기고 인플레이션을 막을 수 있다.

윤석열 정부는 자유 시장 경제를 강조하고 기업의 세금 부담을 줄여준다는 기조를 갖고 있다. 하지만 내수가 위축되고 세수가 줄어들고 서민들의 삶이 팍팍해지고 있는 상황에 직면해 있다. 따라서 디지털 화폐를 사용한 내수 확대를 통해 경제를 활성화해야 한다.

셋째. 민생정책 수립을 위한 야당과의 협치가 필요하다. 민주당이 2024년 예산 증액으로 요구하는 복지성 예산과 지역화폐 예산을 '윤석열표 디지털 화폐'로 변형 시행하여 야당과 지방정부의 협조를 받으면 된다. 디지털 화폐를 2~3회 의무 사용하게 하고 거래할 때 조건을 걸면 뿌린 돈 대부분을 다시 회수해 재정부담이 없게 된다.

이미 민주당이 디지털 지역화폐를 활발히 사용하였고 3개월 동안 안 쓰면 몰수하는 시행을 성공적으로 수행해서 디지털 지역화폐에 대한 인식이 충분히 확보되었다. 윤석열 정부는 디지털 화폐 사용기한을 3개월 이내로 제한하면 단기간에 내수가 확대된다. 정부가 재정 지출을 줄여서 절약해도 세수가 줄어 마찬가지로 재정적자가 발생한다는 사실을 확인했다.

진보는 국민 생활보호를 과도하게 강조한다. 급기야 기본소득을 주장하며 국민 모두에게 정부지출을 하자고 한다. 반면 보수는 기업의 세금 부담을 줄여주기 위해 확실하게 생계 위협이 증명되는 소수에게만 정부가 지원하자고 한다.

민생경제를 살리기 위해서는 이념과 여야를 떠나 정책 협치가 시급하다. 정치란 '백성을 배부르고 등 따스하게' 만드는 것이다. 국민은 먹고살기가 힘들면 선거를 통해 정치를 심판하는 것이 진리임을 명심해야 한다. (아주경제. 2023. 10. 19.)

물가와 민생 두 마리 토끼 잡기

민생도우미 카드를 통한 물가안정과 민생 살리기 해법 : 디지털 화폐 활용

현재 국가 경제는 총체적 난국이다. 즉, 교육·연금·노동의 3대 개혁 지연으로 인한 만성 저성장의 늪에 빠졌다. 최근 OECD(경제협력개발기구)는 한국의 잠재성장률이 1%로 떨어질 것이라고 경고하였다. 이대로라면 대한민국의 미래는 암울하기만 하다.

지난달 소비자 물가는 3.8%나 올라 7개월 만에 최고치를 기록했다. 하지만 서민들이 체감하는 생활물가 인상은 30% 그 이상으로 다들 살기 어렵다고 난리다. 서민과 자영업자·소상공인·사회적 약자들의 생활은 점점 더 어려워지고 있다.

우리나라 GDP 약 2,000조 원의 50%인 1,000조 원은 대기업 수출에 의존하고 있고 내수 50%인 1,000조 원은 대부분 600조 원이 넘는 정부의 재정 지출로 만들어지고 있다. 최근에는 경제 양극화로 인해 국민 중 상위 20%는 살만하다.

하지만 하위 80%는 돈이 부족해 경제 사정이 어렵다. 많은 국민은 물가 폭등에 괴로워하고 세금을 부담스러워하며 이자를 내면서라도 급전을 끌어 쓰는 열악한 경제 상황에 직면해 있다. 겉으로 보면 멀쩡해 보이지만 생활고에 찌든 사람들이 의외로 많다.

소득이나 재산이 있어도 많은 부채로 인해 갑자기 어려운 상황에 부닥치기도 한다. 자영업자들은 금리가 올라 이자 내기 허덕이며 장사를 해도 채무상환이나 임대료 내기도 힘든 상황이다. 정부 지원은 장애인이나 기초생활수급자 위주로 되어 있다.

어려움이 쉽게 증명되는 사람은 오히려 어려움이 적은 게 현실이다. 갑자기 빚으로 힘들어진 사람 등은 자신의 어려움을 증명하지 못해 고통스러워하고 있다. 어려운 영세기업인, 소상공인, 자영업자는 이미 면세 혜택을 받고 있어서 현 정부가 추진하고 있는 여러 가지 감세 정책은 사실 큰 의미가 없다.

예를 들면, 현행법상 이들이 일할 수 있는 신체적·정신적 능력이 있다면 정부의 지원금을 받을 수 없다. 차라리 장애가 있거나 큰 사고를 당하거나 감옥에 있으면 정부가 이들의 생존을 유지해 준다. 정규직이나 영세자영업자가 갑자기 생활이 어려워지면 그야말로 난감하다.

일자리를 구하지 못하여 자살이라는 극단적인 선택을 하는 경우가 비일비재하다. 최근 윤석열 대통령 시정연설의 핵심은 물가와 민생 안정으로, 향후 국정 운영의 기조가 될 것으로 보인다. 다만, 중요한 것은 이를 어떻게 실천하느냐이다.

강서구청장 선거 참패를 계기로 윤 대통령은 강도 높은 변화를 예고하고 있다. 민생을 연일 강조하고 민생과 물가의 대립 구도를 직접 상세하게 설명하며 물가안정과 민생 살리기에 총력을 기울이고 있다.

윤 대통령은 "국정 운영의 중심에 민생이 있다, 재정 지출을 통해 민생에 도움이 되는 정책을 쉽게 할 수 있지만 물가가 오르면 오히려 민생에 해로울 수 있다. 소상공인을 위해 연중 상시 운영하는 전 국민 소비 축제와 온누리상품권 특별할인 행사를 적극적으로 추진하겠다"라고 강조했다.

물가와 민생은 한꺼번에 잡기 힘든 두 마리 토끼와 같다. 물가를 잡으면 민생이 힘들어지고, 민생을 위해 노력하면 물가가 너무 오를 수 있기 때문이다. 일반적으로 정부가 물가를 안정시키기 위해 쓰는 대표적인 방법은 3가지가 있다.

즉, 재정 지출을 줄이는 방법, 대출 조건을 까다롭게 하고 금리를 올리는 방법, 세금을 올리는 방법이 있다. 현재 정부는 재정 지출을 줄이면서 법인세·종부세·상속세를 줄여주는 기업 친화적인 정책을 추진하고 있다,

하지만 물가안정을 위한 민생 예산 축소는 부자를 위한 감세가 되어 물가안정에 역행하고 있다는 비난을 받고 있다. 그리고 금리 상승으로 많은 대출자가 이자 부담으로 고통스러워하고 있다.

민생을 살리기 위한 방법은 3가지다. 힘든 소수를 대상으로 지원하는 방법, 하위 50% 혹은 70%를 지원하는 방법, 소상공인에게 간접적으로 지원하는 방법이다. 정부는 어려운 사람들

에게 직접 지원하는 방식으로 기초수급자나 장애인에게 추가적인 지원을 하고 있고 기초노령연금을 70%에게 지원하고 있다.

지자체의 지역화폐는 소상공인을 위한 간접 지원방식으로 현재 지역에서 25조 원 정도 지급되고 있다. 법인세를 인하하면 세수가 줄어들지만, 법인세 혜택을 받은 기업의 매출 증가로 인한 세수 증가가 더 커질 것이라고 정부가 주장했는데 그 예측은 빗나갔다.

만약 재정 지출을 하더라도 지출한 것보다 더 많은 세수가 확보된다면 재정적자가 줄어들 뿐 아니라 물가도 안정적일 수 있다. 그렇다면 물가안정과 민생 살리기 두 마리 토끼를 동시에 잡는 방법은 무엇일까.

첫째, 디지털 화폐의 활용이다. 디지털 화폐로 재정 지출을 하면 거래 내역이 계속 추적되어 확실하게 세수를 확보할 수 있다. 민생을 위한 재정 지출을 민생도우미 카드로 집행하고 그 카드 거래에 대해서 조건을 걸어서 거래 과정을 추적할 수 있다. 예를 들면 온누리상품권을 민생도우미 카드로 전환하고 10%의 인센티브를 주면 그 거래 과정을 계속 추적할 수 있다.

둘째, 민생도우미 카드의 2~3회 의무 사용이다. 현재 시중에 돈이 돌지 않고 내수가 점점 줄어드는 것이 큰 문제다. 재정 지출을 민생도우미 카드로 집행하고 2~3회 국내 거래를 의무화하면 내수가 증가할 수 있다. 해외직구를 이용하거나 해외여행을 가는 등 번 돈을 국내에서 지출하지 않는 것이 줄어들게 된다.

셋째, 세수 증가다. 물품 거래 시 10%의 부가가치세를 내고 있다. 민생도우미 카드로 2~3회 거래를 의무화하면 20~30%의 부가가치세가 부과돼 세수 증가를 가져올 수 있다. 정부 지원금을 사용하여 거래할 때는 추가 5%의 거래세를 별도로 부과할 수도 있다.

정부의 지원금을 민생도우미 카드로 사용하게 한다면 소상공인들에게 거래될 때마다 5%의 추가 거래세를 내도록 할 수 있고, 30~45%의 세수 증가를 가져올 수 있다. 물가안정과 내수 진작을 위해서는 디지털 화폐의 활용이 최선의 방안이다.

민생 도우미 카드 디지털 화폐 지급	➟➟	자영업자 소상공인	➟➟	자영업자 소상공인	➟➟	자영업자 소상공인
정부 지출	디지털 화폐	10% 부가세 납부 (추가 5% 거래세)	디지털 화폐	10% 부가세 납부 (추가 5% 거래세)	디지털 화폐	10% 부가세 납부 (추가 5% 거래세)
지자체 지출	1개월 내 사용 의무	증가된 소득세 납부	2개월 내 사용 의무	증가된 소득세 납부	3개월 내 사용 의무	증가된 소득세 납부

디지털 화폐 선순환 구성도

(출처 : 국가미래연구원. 2023. 11. 22.)

교육개혁을 통한 민생경제 살리기

윤석열 대통령은 지난 27일 제5회 중앙지방협력회의(안동시)에서 "다양하고 우수한 교육을 지방에서도 받을 수 있게 해주는 것은 젊은 직장인들을 지방에 정착할 수 있는 방안"이라며 지방시대 의지를 재차 강조하면서 '교육' 여건 확충을 핵심의제로 제시했다.

교육은 왜 중요한가. 한국경제는 1960년 이래 30년 이상 평균 경제성장률 10%대에 근접하는 고도성장이라는 성과를 일궈냈다. 자원·자본·기술도 빈약하기 그지없던 우리가 후진국에서 개발도상국을 넘어 선진국으로 올라설 수 있게 해준 원동력은 무엇보다도 교육에 있다.

하지만 1997년 금융위기 전후로 성장률 추세는 급격히 하락하기 시작하여 이제는 잠재성장률이 1% 내외 수준까지 떨어졌다. 이는 한국경제 성장의 핵심 엔진인 인적자본 양성 교육 시스템에 심각한 문제가 내재했음을 의미한다.

70년이 넘은 낡고 낡은 주입식 교육제도로는 더 이상 경제성장을 담보할 수 없다. 초거대 생성 AI시대에 국제 경쟁력을 높이고 지속적인 경제성장을 위해서는 우리 교육은 미래 인재 양성을 위한 교육의 질적 수준 향상에 초점을 맞춰야 한다.

과거의 교육은 가난의 대물림을 끊어주는 역할을 했지만, 현재 교육은 부모 경제 격차가 학력 격차로 나아가 자녀들의 소득 격차로 이어지고 있는 게 현실이다. 미래교육이 지속적 경제성장과 국제 경쟁력을 갖춘 인재를 키워낼 수 있도록 우선 교육개혁을 하는 것이 절실히 요구된다.

교육개혁은 거창할 필요가 없다. 현재 상황에 맞게 추진할 수 있는 일을 지금 당장 시작하면 된다. 미래 인재 양성을 위해 교육정책의 효율적인 집행, 교육투자와 민생 살리기를 연계하는 시스템 구축, 교육·고용·복지 간 선순환 창출이 이루어지게 하면 된다.

이러한 교육개혁의 방안 중 하나로 '디지털 화폐를 활용한 교육 지원 사업' 정책을 제안한다. 세부적인 내용은 다음과 같다.

첫째, 개념은? 각 교육청은 초·중·고 학생을 대상으로 '온라인 영상 도우미 교육지원 시스템'을 구축해 교육 서비스 쿠폰을 지급한다. 교사 도우미는 시도 교육지원청 관내에 주소를 두거나 거주하는 대학생에게 우선권을 준다. 교육부 주관이기에 신뢰성이 확보된다.

둘째, 목적은? 교육비는 미래 인재 양성을 위한 투자 성격을 지니고 있지만 가계의 소비 지출에 큰 부담이 되고 있다. 한국 학부모가 부담하는 국내총생산(GDP) 대비 고등 교육비는 OECD 국가 중 상위권이지만 정부 부담은 중하위권 수준이다. 경제 수준에 부합하는 정부 지원을 늘린다면 민생경제에 큰 도움이 된다.

셋째, 사업은? 온라인 교사 도우미 지원 사업은 교육청의 교부금 예산을 활용해 대학생을 대상으로 시행한다. 초·중·고 학생 대상의 교육비 지원 및 영유아 대상의 양육지원 사업은 정부와 지자체 예산을 활용한다.

넷째, 방법은? 중앙정부가 시도 교육지원청의 지원금 10%에 교육지원 통화를 디지털 화폐 또는 쿠폰을 통하여 10%의 추가 지원금을 지원한다. 단 해당 지역에서 2개월 안에 1차 소비해야 하고 그 돈을 받은 지역 사업자에게 그 돈을 3개월 안에 지출할 것을 조건으로 걸면 된다.

다섯째, 효과는? 소비·소득·세수가 증가해 민생경제가 활성화된다. 10%의 지원금으로 100% 이상의 소비와 매출을 유도하는 효과를 발생시켜 지역 사업자와 관련자들의 소득이 증가하게 된다. 디지털 쿠폰을 의무적으로 2회 돌리면 약 20%의 부가세 증가 효과를 가져온다.

여섯째, 추진은? 1단계는 2023년 11월부터 2024년 3월까지 5개월 동안은 기존 예산과 예비비를 집행한다. 2단계는 2024년 4~12월 9개월 동안 예산을 집행한다. 3단계는 2025년 이후 지속적 추진이다.

마지막으로 실행은? 우선 20여 명의 TF팀을 구성한다. 야당의 협조를 받거나 아니면 예비비 사용 혹은 긴급재정명령을 발동한다. 시도 교육지원청과 지방정부의 협력을 요청한다. 시중 은행 그리고 모바일 결제 업체의 협력을 요청하여 운영 시스템을 구축한 후 국민 홍보를 한다.

소득격차에 따라 교육받을 기회가 박탈된다면 공정한 사회가 아니다. 정부의 교육에 대한 키워드는 '공정교육'이다. 헌법 제31조 제1항에는 '모든 국민은 능력에 따라 균등하게 교육받을 권리를 지닌다'라고 명시되어 있다.

디지털 화폐를 활용한 교육 지원 사업이 추진되면 지역별 차이 없이 누구나 공정한 교육을 받을 기회를 얻게 된다. 단기간 성과를 낼 수 있는 '디지털 학습지원 정책'으로 '공정한 교육' 실현이 가능하다. 국민이 믿고 신뢰하는 교육개혁의 첫걸음이 되기를 기대한다. (국가미래연구원. 2023. 10. 30.)

맞춤형 마이 데이터 GPT 활용 선거전략

2024년 총선이 6개월 앞으로 다가오고 있다. 민주당의 압승으로 끝난 21대 총선, 0.74% 차로 갈린 지난 대선, 민심은 끊임없이 요동치고 있다. 윤석열 정부에 대한 중간평가가 될 22대 총선에서 유권자들은 과연 누구를 선택할까?

2020년 총선부터 2022년 대선·지방선거까지 표심을 보면 승리의 여신은 어디를 향할지 가늠할 수 없다. 최근 불거진 홍범도 장군 흉상 등으로 여권 지지층인 중도 보수 성향 유권자가 빠지고 있다. 야권 지지층인 중도 성향 유권자들은 이재명 리스크에 떨어져 나가고 있다.

결국 누가 먼저 어떻게 혁신하는가에 승패가 갈린다. 초거대 생성형 AI시대에 챗GPT를 선거에 활용해 혁신하면 우위를 점할 수 있다. 과거에는 신문, 라디오, 텔레비전이 선거 캠페인의 주요 매체였지만 현재는 인터넷과 소셜 미디어 플랫폼이 중요한 역할을 하고 있다.

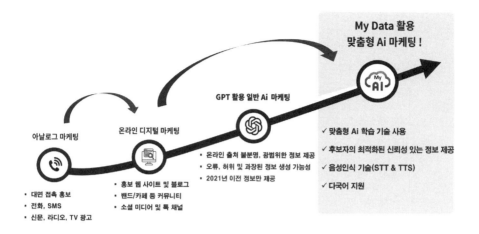

페이스북, 트위터, 인스타그램, 유튜브 등 소셜 미디어 플랫폼은 선거 홍보에서 중요한 수단이다. 후보자와 정당은 이러한 플랫폼을 사용하여 정책 선언, 동영상 콘텐츠 공유, 직접 대화 등을 통해 유관한 대중들에게 메시지를 전달한다.

최근에는 일반 생성형 AI(GPT)의 도입으로 웹 사이트, 앱, 채팅 봇과 같은 도구를 사용하여 대중들과 상호작용을 강화하고, 질문에 답변하며 선거 관련 정보 제공하는 플랫폼이 등장했다. 선거 캠페인에 일반 생성형 AI(GPT)를 활용하면 많은 장점을 제공한다.

하지만 거짓, 편향적, 출처 불분명, 온라인상의 광범위한 정보를 제공할 가능성이 크다. 선거 캠페인에서 일반 생성형 AI(GPT)를 사용할 경우, 기초 데이터가 2021년 이전의 자료를 기반으로 학습되며, 개인정보 보호법 위반 등 심각한 문제를 내포하고 있다.

데이터의 품질과 신뢰성이 낮은 경우 거짓 정보나 악의적인 내용이 답변으로 생성될 위험성이 크다. 이는 의도치 않은 부정확한 답변이 나올 가능성을 의미한다. 구체적인 질문에 대한 답변이 일반적이고 추상적인 내용으로 생성될 수 있다.

그렇다면 생성형 AI시대 최신 선거 캠페인은 어떻게 해야 할까.

첫째, 선거 캠페인에 맞춤형 AI(My Data GPT) 활용이다. 실시간으로 다수 유권자의 개별적인 선호와 관심사를 이해하여 각 유권자에게 정확하고 신뢰성 있는 정보를 제공하여 거짓 정보를 제어할 수 있다.

둘째, 유권자와 소통 강화다. 대규모 데이터 분석을 통해 선거 전략을 개선하고 효율적으로 유권자의 선호도를 분석하며, 시간과 비용을 절감하고 실시간 데이터 분석을 통해 연설문 작성 및 선거 캠페인 전략을 분석해 조정할 수 있다.

셋째, 맞춤형 AI(My Data GPT)다. 후보자를 대신하여 각 유권자의 관심 분야에 대한 답변을 검증된 데이터 범위에서 학습한다. 이를 통해 유권자들에게 선거 공약, 정책에 대한 의견, 문서 등을 구체적이고 사실적으로 제공한다. 이를 채팅 봇뿐만 아니라 개별 유권자의 목소리로 전달할 수 있다. 또한 다국어 지원 기능을 통해 다문화 가정에서도 활용할 수 있다.

넷째, 효율적 정책 홍보다. 2030의 정치적 관심을 유도하고, 고령층에게는 정책 의견 제시를 통한 정치적 호감도 향상의 기회를 제공한다. 중앙당과 각 지역 지구당 및 후보자를 원스톱 연결할 수 있어 중앙 정책을 지역 유권자에게 일관성 있게 전달할 수 있다.

마지막으로, 데이터 분석 및 활용이다. 선거 후에는 민심 수집 및 분석을 위한 소통과 홍보 채널로 이를 지속적으로 활용할 수 있으며, AI 공보관이나 AI 전략관 등의 역할을 수행하여 차기 선거에도 활용할 수 있다. 이를 통해 민주주의 프로세스를 더 투명하게 만들고 유권자와 후보자 간의 상호작용을 강화할 수 있다. 22대 총선의 승패는 맞춤형 AI 개인 GPT 활용에 달려 있다고 해도 과언이 아니다. (네이버 블로그. 2023. 09. 28.)

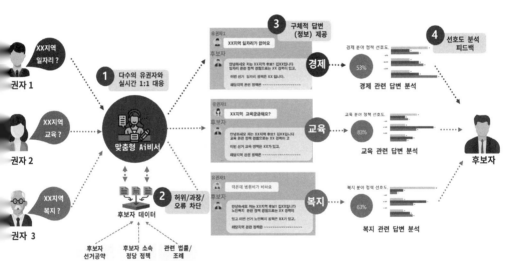

제3부

●

정

책

제

언

1장.

디지털 교수학습 플랫폼 구축

경기형 디지털교수학습플랫폼 구축(안)

AI디지털교과서와 AI튜터링을 중심으로 한 민관협력사업 모델

많은 시도교육청에서 각각의 현실적 대안을 찾아 교육 플랫폼을 구상하거나 구축하고 있습니다만, 새로운 정부가 추진하고자 하는 AI 디지털 교과서를 활용한 맞춤형(개별화) 학습과 관련하여 대부분 본질적인 핵심이 빠져 있습니다. 공교육 수업의 핵심인 교과서의 AI 기반 디지털 고도화는 논외로 한 채, 서비스 양적 확대 중심의 방식을 취하는 듯 보입니다.

그래서 경기형 디지털 교수학습플랫폼을 구안하는 데 있어, 반드시 고려하고 해결해야 할 핵심은 인공지능 기반의 '고도화된 AI 디지털 교과서 서비스와 개인별 맞춤형 학습 시스템, AI 튜터링'입니다.

하지만 질적인 부분까지 고려하여 구축하기 위해서는 막대한 예산과 시간, 자원들이 필요합니다. 따라서 본 플랫폼을 효과적이고 실재적으로 구축, 운영하기 위해서는 ① 현재 교과서 사업을 영위하고 있는 기업이 각사의 교과서를 공교육에 더욱 적합한 디지털 콘텐츠로 고도화하고, ② 스마트 학습 서비스 기업과는 개인별 맞춤 학습을 위한 AI 튜터링 플랫폼을 함께 구축, 운영하여 교육청과 협업할 수 있도록 연계를 하는 것이 현실적인 필수 조건입니다.

교과서를 AI 에듀테크 기반으로 학교 현장에서 활용하는 사례는, 국내는 물론 해외에서도 찾아볼 수 없습니다. 본 플랫폼이 제대로 구축되어 실제 학교 현장에 쓰일 수 있다면, 미래교육의 인프라 제공은 물론이고 학부모의 사교육비 지출을 획기적으로 줄여 나갈 수 있을 것이며, 나아가 글로벌 스탠더드 플랫폼이 될 것이라고 확신합니다.

이러한 이유로 인해, 본 기획안의 핵심 키워드는 AI 디지털 교과서, AI 튜터링 그리고 민관 협력사업 모델이라는 점을 다시 강조하며 시작하고자 합니다.

[전 경기도교육연구원장]

사업의 근거
○ 경기도 교육감 공약 [정책분야 01. 하이테크 기반 학생 맞춤형 교육]
○ 2023 경기교육 기본계획 [새롭게 열어가는 미래교육 : 에듀테크 활용 학력 향상]

목적
○ 학교와 수업 현장 중심의 실제적인 디지털 교육 플랫폼 제공
○ 인공지능과 빅데이터에 기반한 학생 개인별 맞춤형 수업 지원 기반 구축
○ 경기침체의 상황에서도 사교육이 필요 없는 공교육 학습지원책 강화

[사업의 주요 방향]

개요와 방향성

○ 경기도교육청과 민간교육기업(검정교과서 퍼블리셔, 에듀테크기업, 학습콘텐츠기업 등)이 공동으로 참여하여 '경기형 디지털 교수학습플랫폼'을 구축함으로써, 인공지능학습플랫폼 기반의 AI 디지털 교과서와 AI 튜터링을 중심으로 한 하이터치 하이테크 기반의 선도적인 공교육 인프라를 조성

○ [학생] 개인별 스마트학습기기를 활용하여, 고도화된 AI 디지털 교과서 중심의 학교 공부와 문해, 독서, 코딩 등의 특별학습 그리고 전문 심화학습 콘텐츠 등을 제공

○ [교사] 플랫폼을 통해 수집, 분석된 학습데이터를 활용하여, 교사와 AI 튜터가 함께 학생들의 맞춤형 진단-학습-피드백이 가능한 수업 시스템 제공

○ [학교] 학생(교과) 맞춤형 학습 지원 실천 학교(학년/교과) 운영 시스템과 에듀테크 기반 진단평가 솔루션 적용

○ [학부모] 자녀의 학습통계 및 학습성과와 자기 주도 학습역

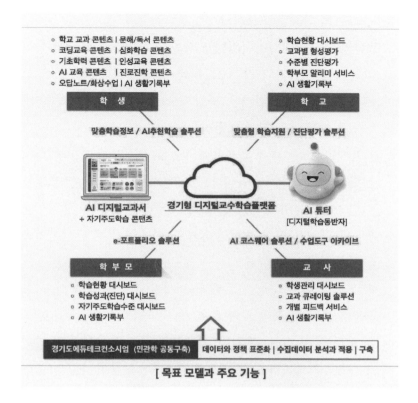

학 생
○ 학교 교과 콘텐츠 | 문해/독서 콘텐츠
○ 코딩교육 콘텐츠 | 심화학습 콘텐츠
○ 기초학력 콘텐츠 | 인성교육 콘텐츠
○ AI 교육 콘텐츠 | 진로진학 콘텐츠
○ 오답노트/화상수업 | AI 생활기록부

학 교
○ 학습현황 대시보드
○ 교과별 형성평가
○ 수준별 진단평가
○ 학부모 알리미 서비스
○ AI 생활기록부

맞춤학습정보 / AI추천학습 솔루션

맞춤형 학습지원 / 진단평가 솔루션

AI 디지털교과서
+ 자기주도학습 콘탠츠

경기형 디지털교수학습플랫폼

AI 튜터
[디지털학습동반자]

e-포트폴리오 솔루션

AI 코스웨어 솔루션 / 수업도구 아카이브

학 부 모
○ 학습현황 대시보드
○ 학습성과(진단) 대시보드
○ 자기주도학습수준 대시보드
○ AI 생활기록부

교 사
○ 학생관리 대시보드
○ 교과 큐레이팅 솔루션
○ 개별 피드백 서비스
○ AI 생활기록부

경기도에듀테크컨소시엄 (민관학 공동구축) | 데이터와 정책 표준화 | 수집데이터 분석과 적용 | 구축

[목표 모델과 주요 기능]

량 및 태도 등의 분석데이터에 기반한 e-포트폴리오 제공

목표 모델

○ 민관 연계를 통해, 교육청 예산의 효율적 활용과 구축 플랫폼의 실효성 확보

○ 인공지능 기반 [AI 디지털 교과서 & AI 튜터]를 핵심으로 하는 플랫폼 구축.

① 향후 디지털 교육 대전환을 위한 최우선 과제는 현행 교

과서의 디지털 고도화.

② 현행 교과서의 AI 디지털 고도화를 구축하기 위해서는 천문학적 예산과 기간 소요. 따라서, 검정교과서의 경우 현재 교과서 민간기업을 중심으로 고도화할 수 있도록 사업을 연계하는 것이 효과적.

③ AI 튜터의 공교육 활용을 위해서도 원천기술의 라이선스와 IP 비용 등 이 막대함으로, 현행 스마트 학습 플랫폼 민간기업과의 연계가 필수

④ 공공과 민간의 효율적인 플랫폼 연계를 위해 시범사업을 통한 표준모델 마련.

○ 학교 교과 이상의 학습 콘텐츠와 개별 맞춤형 학습으로 [사교육비 제로] 플랫폼 구축.

① 교과 연계 학습, 문해/독서/코딩 등 특별학습, 기초학력 증진 및 심화학습 콘텐츠 등을 확대 적용하여 스마트학습기에 탑재 운영.

② 효과적인 학습기 관리 방안을 마련하여 학교 수업, 방과 후 학습과 돌봄 교실 그리고 가정 내 학습 등을 통해 맞춤학습과 자기주도학습의 지원체계 수립.

③ 도내 교대와 사대, 지역사회 인력 풀을 활용하여, AI 튜터링(하이테크)과 연동한 휴먼 멘토링(하이터치)을 함께 운영하여 기초학력 미달 학생을 비롯한 학습 소외 계층의 학력 증진 장치 마련.

접근 방식

○ 2025년 디지털 교육 대전환 시점을 목표로 단계적으로 접근

① 1단계 [선도학교 시범사업] : 일부 학년/일부 교과 대상 디지털학습플랫폼 적용

② 2단계 [시범학교 확대 사업] : 교사 AI 코스웨어 솔루션, 진단평가솔루션 등 고도화

③ 3단계 [도내학교 전면 적용] : 표준화된 플랫폼 전체 적용

④ 추진 일정 :

구 분	2023.07~		2024		2025년		비고
1단계 [선도학교 시범사업]		▨					
2단계 [시범학교 확대사업]			▨				
3단계 [도내학교 전면적용]					▨		

○ 플랫폼 구축사업에 민간기업의 적극적인 참여 유도를 위한 제도 마련

① 특히, AI 디지털 교과서와 AI 튜터링 기업과의 '퍼블릭 프라이빗 파트너십' 구축

② 현행 검정교과서 채택제도와 유사한, '학교별 스마트 학습 플랫폼 채택과 활용을 위한 바우처 제도' 마련

③ 1~2단계 시범사업 시, 검정교과서를 채택한 학교와 해당 민간기업을 연계하여 학교와 수업 현장에 적용하는 것이 효과적

기대 효과

○ 에듀테크 기반 미래형 교육 시스템 구축을 통해 글로벌 표준 플랫폼으로 위상 정립

○ 인공지능학습플랫폼에 기반한 학생 개인별 맞춤형 수업 지원 인프라 구축

○ 민관 협력체계를 통한 효율적 예산 활용과 전문화된 공교육 에듀테크 생태계 구축

○ 다양한 교육 콘텐츠 및 코스웨어 접근성 강화를 통한 사교육비 절감과 교육격차 해소

○ 디지털 기반 학습 지원으로 학생의 자기 주도 학습력 향상

교육개혁 성공하려면

윤석열 정부의 교육개혁 핵심은 초·중·고 교육의 디지털 전환이다. 이주호 교육부 장관은 "2025년 상반기부터 디지털 교과서를, 하반기부터 인공지능(AI) 튜터를 도입하겠다"라고 밝혔다.

문제점은 첫째, 하드웨어 보급에 치중하고 있다. AI 디지털 교과서를 활용한 맞춤형 학습과 관련해 교과서의 AI 기반 디지털 고도화는 논외로 한 채 1인 1단말기 보급 방식에 치중하고 있는 실정이다. 둘째, 예산과 구축 기간이다. 디지털 교육 대전환의 최우선 과제는 현행 교과서의 AI 디지털 고도화다. 디지털 교과서 시스템을 구축하려면 천문학적 예산과 상당한 개발기간이 소요된다. 셋째, 라이선스 비용 발생이다.

AI 튜터의 공교육 활용을 위해서는 콘텐츠 사용료를 지급해야 한다. 그렇다면 AI 시대 디지털 교육개혁 성공하려면 어떻게 해야 할까?

첫째, 목적 정립이다. 디지털 교육의 최종 목표는 미래 시대가 요구하는 역량을 키우기 위해 학생들의 특성과 수준을 고려한 맞춤형 학습을 하는 데 있다. 그러기 위해선 학교와 수업 현장 중심의 실제적인 디지털 교육 플랫폼을 제공해야 한다. 플랫폼은 AI와 빅데이터를 바탕으로 학생 개인별 맞춤형 수업 지원 기반이 돼야 한다.

둘째, 방향성이다. 교육부는 AI 학습 플랫폼 기반의 AI 디지털 교과서와 AI 튜터링 하이테크 하이터치 기반의 선도적인 공교육 인프라스트럭처 구축이라는 방향을 제시해야 한다. 시도교육청은 검정교과서 퍼블리셔, AI 기반 학습 플랫폼 기업 등이 공동으로 참여하는 'K디지털 교수·학습 플랫폼'을 구축해야 한다.

셋째, 고객 만족이다. 디지털 교육의 최종 고객은 학생·교사·학교·학부모다. 학생은 개인별 스마트 학습기기를 활용한 학습 환경을 원한다. 교사는 AI 기반 학습데이터 수집·분석·피드백이 가능한 수업 시스템을 활용해야 한다. 학교는 에듀테크 기반 진단평가 솔루션을 구축해 학부모에게 자녀의 학습 성과와 자기 주도 학습역량 분석 데이터를 제공해야 한다.

넷째, 플랫폼 구축이다. 학교 교과 이상의 학습 콘텐츠와 개별 맞춤형 학습으로 공교육의 확장 플랫폼이 필요하다. 교과 연계 학습, 코딩 등 특별학습, 기초학력 증진 및 심화학습 콘텐츠 등을 확대 적용해 스마트 학습기에 탑재·운영할 수 있어야 한다. 방과 후 학습, 돌봄교실을 통해 맞춤 학습과 자기 주도 학습의 지원체계가 수립돼야 한다.

다섯째, 추진이다. 데이터·표준화·수집 데이터 분석과 적용을 위해서는 에듀테크 기업들의 컨소시엄을 구성해 민·관·학이 협력해야 한다. 정부는 법 제도 정비, 민간 차원에서는 기술을 제공하는 역할 분담을 해야 한다. 선도학교에 시범 적용한 후 확대해 나가면서 최종적으로 표준화된 플랫폼을 전면 적용하면 된다.

여섯째, 글로벌 수출이다. 교과서를 에듀테크 기반으로 학교 현장에서 활용하는 사례는 해외에서도 찾아볼 수 없다. 디지털 교과서 플랫폼이 제대로 구축돼 학교 현장에서 쓰일 수 있다면 미래 교육의 인프라 제공은 물론이고 글로벌 스탠더드를 선점해 수출길도 열 수 있다.

제도개혁과 정책 발표만으로 디지털 교육개혁이 성공할 수는 없다. 정부가 바뀔 때마다 교육개혁이 화두였지만 대부분 용두사미로 끝났다. 디지털 교육 성공의 핵심 키워드는 AI 디지털 교과서, AI 튜터링, 민관 협력사업 추진 모델이다. 정부가 내건 3대 개혁 중 유일하게 서둘러 성과를 낼 수 있는 것은 디지털 교육개혁뿐이다. (매일경제. 2023. 01. 11.)

2장.

랜섬웨어 공격에 학교가 위험하다

랜섬웨어 대응 솔루션 도입

근거
○ 정부 사이버 보안 정책 시행
○ 국가정보원 랜섬웨어 보안 대책 강화 권고, 정보보안 관리실
　태 평가
목적
○ 학교 현장 PC 해킹에 대한 보호
○ 학생·교직원의 데이터가 안전하게 유지되도록 전략적 방어
　체계 구축
상황
○ 학교는 해커들 사이 인기 높은 표적, 정보 유출 대한 인기와
　가치가 높음
○ 보안이 허술하고 수많은 정보를 저장하고 있어 뚫기 쉬운 공
　격 상대
○ 영·미 학교 다수의 랜섬웨어 공격, 한국 최근 고2 연합학력

유출 사고

랜섬웨어

○ 사용자 PC 장악 암호화 후 금품 요구, 악성 컴퓨터 바이러스

○ 감염 PC는 물론 감염된 기기와 통신할 수 있는 모든 기기까
지 영향 미침

효과

○ 정보유출 방지, 보안 효율성 증대

○ 비인가 프로세스에 의한 잠재적 노출 원천 차단

○ 학교 현장 PC와 시스템에 대한 신뢰성 및 보안 안정성 확보

예산, 추진

○ PC 대수로 가격을 책정, 운영 중 PC가 20만 대면 약 150억
원 필요

○ 2023년 6월부터 각 지역교육지원청 단위 선제적 도입 운영
후 확대

해커들 사이에서 인기 높은 표적은 학교다. 학교는 보안이 허술하면서도 수많은 정보를 저장하고 있어 뚫기 쉬운 공격 표적으로 인기와 가치가 모두 높기 때문이다.

최근 수년 동안 학교는 잦은 랜섬웨어 위협 공격의 표적이 되고 있다. 랜섬웨어 위협 공격 증가에 대해 학교는 데이터를 안전하게 유지되도록 전략적 방어 체계 구축이 시급하다.

지난해 11월 미국의 미시간주 공립학교 두 곳은 랜섬웨어 공

격을 받아 학교 운영 시스템이 완전히 마비되었다. 올해 1월 영국의 교육기관 14곳이 랜섬웨어 공격을 받아 학생·교직원의 정보와 학교 운영 관련 민감한 정보가 대량 유출되는 사고가 발생했다. 우리나라도 지난 2월 2022학년도 11월 고2 전국연합학력평가 성적이 유출되는 사고를 겪었다.

랜섬웨어(Ransom-ware)는 사용자의 PC를 장악해 데이터를 암호화한 다음 정상적인 작동을 위한 대가로 금품을 요구하는 악성 컴퓨터 바이러스다. 파일·문서·이미지 등 학교에서 높은 가치가 있는 데이터를 암호화한 후에 접속 권한을 되찾고 싶으면 랜섬(몸값, 배상금)을 지급하라고 요구하는 일종의 맬웨어(Malware)다.

맬웨어는 악성 소프트웨어로서 사용자의 이익을 침해하는 모든 소프트웨어를 포함한다. 맬웨어는 단순한 컴퓨터 웜, 트로이목마에서 복잡한 형태의 바이러스에 이르는 모든 것을 포괄한다. 맬웨어는 감염된 PC는 물론 감염된 기기와 통신할 수 있는 모든 기기까지 영향을 미친다.

현재 교육 현장의 상황은 PC 보안을 위하여 시점복원 솔루션, 데이터 보안을 위해 PC 내에 데이터 유지를 최소화하고 있는 것이 현실이다. 하지만 해커들은 짧아지는 데이터의 체류시간 중에 유의미한 효과를 발휘하기 위하여 실시간으로 데이터 유출을 시도하고 있다.

문서 등의 데이터가 보관되지 않더라도 생성 및 수정, 다운로드 등의 작업이 수행되는 시점에서부터 데이터의 유출이 발생

한다. 그렇기 때문에 현재 알려진 공격 패턴을 차단하는 방식의 솔루션이 아닌 원천적으로 데이터를 보호할 수 있는 보안 솔루션이 절실하다.

대부분 PC에는 기존의 보안 솔루션이 설치되어 있으나, 알려진 악성코드에 대응하고 치료하는 방식으로 고도화, 지능화되고 있는 변종 악성코드인 랜섬웨어를 차단하는 데 한계가 있어 랜섬웨어 대응 솔루션이 필요하다. 일선 학교 현장에 랜섬웨어 대응 솔루션 도입의 필요성은 무엇일까?

첫째, 정보 유출 방지다. 랜섬웨어에 의한 파일 암호화를 방지하고 주요 데이터 파일 유출을 사전에 차단하기 위해서다.

둘째, 비인가 프로세스에 의한 잠재적 노출 방지다. 비인가 프로세스의 접근 차단으로 신·변종 랜섬웨어에 대응하기 위해서다. 안전이 검증된 프로세스만 접근을 허용한다.

셋째, 진화 발전된 랜섬웨어의 차단이다. 최근 랜섬웨어 공격 추세가 데이터 유출에 초점이 맞추어져 있다. 향후 어떻게 변할지 모르는 랜섬웨어 악성 공격에 선제적 대비가 요구된다. 이를 위해 유출 및 암호화 과정을 모두 방어할 수 있는 '접근 사전 차단' 랜섬웨어 대응 솔루션이 필요하다.

넷째, 국가정보원의 랜섬웨어 보안 대책 강화 권고다. 최근 국가정보원은 "정보보안 관리실태 평가 지표"에 랜섬웨어 방지를 위한 보완 항목을 추가하는 보안 강화 대책을 권고하고 나섰다. 국가정보원의 경영평가지표 '정보보안 관리실태 평가'에도 대비하여야 한다.

랜섬웨어 도입 효과는 무엇일까?

첫째, 정보 유출 방지다. 랜섬웨어에 의한 파일 암호화 방지 효과가 있다. 기밀 데이터 도난 및 도용을 막는다. 랜섬웨어 감염으로 인한 학교 평판 리스크와 데이터 암호화 및 유출에 따른 경제적 손실을 방지한다.

둘째, 보안 효율성 증대다. 내부 보안 강화로 보안 효율성이 증가해 악성코드가 아니더라도 비인가 프로세스의 잠재적 위험 노출을 원천적으로 차단한다.

셋째, 보안 이슈에 대한 방어 및 대응능력 향상이다. 알려지지 않은 악성코드에 사전 대응은 보안 이슈에 대한 사전 대응과 같은 효과를 발휘한다.

넷째, 신뢰성 및 안정성 확보다. 중단 없는 안정적인 시스템 운용 추진으로 보안 운용에 대한 신뢰도가 높아진다.

그렇다면 학교에서는 어떤 랜섬웨어 대응 솔루션을 도입·활용해야 할까?

첫째, 솔루션 방식이다. 최근 세계 보안의 최대 화두는 '제로트러스트' 방식이다. 신뢰할 수 있는 것만을 허용한다는 내용으로 미국의 바이든 정부와 한국 정부에서도 부각하고 있는 보안 기술이다. 이러한 기반과 방식을 통한 암호화 유출 등의 모든 악성 행위를 차단하고 대응하여야 한다. 제로트러스트 정책에 가장 근접한 방식인 화이트리스트 보안 기술로 블랙리스트 방식인 백신과 시너지를 극대화하여야 한다.

둘째, 차단 조치다. 랜섬웨어의 데이터 접근을 사전에 차단만

이 공격 형태와 관계없이 데이터를 보호해야 하기 때문이다. 랜섬웨어 공격 방법인 데이터 유출 방어가 가능하여야 한다. 비선정 제품은 암호화 과정을 차단하므로 데이터 유출에 취약할 수 있다.

셋째, 오탐이다. 인가된 프로세스만 허용하기에 오탐과 무관해야 한다. 왜냐하면 정상적인 암호화 경우도 오탐이 일어날 확률이 존재하기 때문이다.

넷째, 관리 서버 스펙이다. 대시보드 제공이 가능하고 정책 실시간 반영이 되어야 한다. 이를 위해 다양한 감시기록과 관리 서버에 대해 접근 통제 기능이 있어야 한다.

다섯째, 에이전트다. 데이터 암호화 차단, 접근 사전 차단, 유출 대응, 신·변종 랜섬웨어 차단, 자체 보호 기능, 에이전트 삭제 방지 기능 등을 국가정보원에서 검증을 통과하여야 확인서를 발급받을 수 있다. 최고의 요구사항을 통과한 제품에는 5년 기한의 보안 기능 확인서가 발급된다. 국가정보원 보안 기능 확인서가 반드시 있어야 한다.

마지막으로 예산 및 추진이다. 예산은 운영 중인 PC 대수로 가격이 책정한다면 운영 중인 PC가 20만 대라면 약 150억 원이 필요할 것이다. 일단 교육청과 지역교육지원청 단위로 도입 활용 후 점차 학교로 확산하는 방안과 전격적으로 일정 지역을 도입 운영하는 방법이 있다.

한 번의 랜섬웨어 공격이 교육 현장 전반에 막대한 피해를 줄 수 있다는 사실을 간과할 수 없다. 이를 위해 랜섬웨어 대응 솔루션 도입으로 학생·교직원들이 안심하는 교육환경이 어느 때보다도 요구된다. (2023.04.09. 네이버 블로그)

3장

학폭 예방 상담 플랫폼 AI 챗봇 솔루션

학폭 예방 상담 솔루션 도입

근거

○ 학교폭력 예방 및 대책에 관한 법률 (학교폭력 예방법)

○ 법률 제17668호 (시행 2021.6.23. 2020.12.22. 일부개정)

목적

○ 학생의 인권 보호, 학생을 건전한 사회 구성원으로 육성

○ 피해 학생 보호, 가해 학생 선도·교육 및 피해 학생과 가해
학생 분쟁조정

원인

○ 무관심 : 학생의 표정, 신체, 행동 관찰하면 징후를 발견 조기
예방 가능

○ 변화 : 과거는 신체·언어·성폭력, 최근에는 사이버·왕
따·SNS 악플

○ 이유 : 솜방망이 처벌, 보복이 두려운 환경, 학교 사각지대,
부모 역할

목표

○ 학생 : 학창 시절 학폭으로 평생을 트라우마로 고통받지 않는 세상

○ 학부모 : 부모 돈·권력으로 학폭 덮지 못하는 정의·공정 학교 만들기

○ 적용 : 법률 AI 기술 및 생성 AI(ChatGPT, etc), 학폭 예방 상담 플랫폼

예산

○ 학폭 예방 AI ChatGPT 솔루션 : 학폭 예방 AI 챗봇 상담, 교육개혁 일환

① 추진 : 1단계[23년 선도], 2단계[24년 시범 확대], 3단계[25년 전면 도입]

② 예산 : AI 시스템 개발 50억 (기간 및 기능에 따라 비용 변동 가능)

효과

○ 24년 총선 前 학폭 예방 플랫폼 및 AI 챗봇 도입

학교폭력은 위험 수준을 넘어 사회 문제로 대두되고 있다. 학교폭력은 사회구조적 문제다. 학교폭력의 피해로 인한 자살 증가는 이미 심각한 수준이다. 학교폭력은 단순히 학생 개인의 문제가 아니라 가정, 학교, 지역사회 모두의 문제다.

학교폭력 사건은 가·피해 학생의 구분이 불분명할 경우 학교폭력 업무처리 매뉴얼로 처리할 수 없다. 최근 학교폭력은 악성

댓글 등 사이버 폭력이 증가하는 추세다. 학교폭력은 학교폭력 예방 및 대책에 관한 법률(학교폭력예방법)에서 정의하고 있다.

이 법에 따르면 학교폭력이란 학교 내외에서 학생을 대상으로 발행한 상해, 폭행, 약취·유인, 명예훼손·모욕, 공갈, 강요·강제적인 심부름 및 성폭력, 따돌림, 사이버 따돌림, 정보통신망을 이용한 음란·폭력 정보 등에 의하여 신체·정신 또는 재산상의 피해를 수반하는 행위라고 정의한다.

이 법의 목적은 피해 학생을 보호하고, 가해 학생의 선도·교육 및 피해 학생과 가해 학생 간의 분쟁조정을 통해 학생의 인권을 보호하고 학생을 건전한 사회 구성원으로 육성함에 있다. 학교폭력에 대한 학생들은 '피해 사실을 이야기할 수 없고, 도와줄 수도 없으며, 신고해도 소용없다'라는 인식이 널리 퍼져 있다.

학교폭력 관련 상담 서비스로 학생·교사·학부모에 대한 학교폭력 예방 관련 교육 서비스인 학교폭력 예방교육지원센터, 학교·교육청·지역사회가 연계한 학교생활 지원 서비스인 위(Wee) 프로젝트, 채팅·게시판·카카오톡 등 온라인상에서 상담원이 상담하는 1388 청소년 사이버 상담센터, 학교폭력 예방 관련 카카오톡 채널인 상다미쌤, 다 들어줄 개(교육부), 117 학교폭력 신고센터(경찰청)가 운영 중이다.

문제점은 첫째, 학교폭력에 대한 형식적 가이드 라인이나 고정된 상담사례만 제공하다 보니 복잡다기하고 변화무쌍한 학교 현실 상황을 모두 담기 어렵다.

둘째, 오프라인 서비스의 경우 접근성 및 효율성이 낮다.

셋째, 비자동화된 서비스 형식이다. 상담원을 통한 채팅 서비스로 비용 증가 및 심리적 부담이 발생하고 데이터를 분석할 수 없다.

넷째, 다양한 기관(교육부·여성가족부·경찰청·방송통신위원회)에서 학교폭력 관련 도움을 주고 있으나 효율성이 낮다.

다섯째, AI 시대에 AI 및 플랫폼 기술을 충분히 활용하지 못하고 있다. 결국 학생을 위한 스마트 서비스로 나아가지 못해 실질적 이용자가 미미하다.

학교폭력을 예방하고 방지하기 위해선 사용자에게 신속 정확한 정보 및 실질적 도움을 주는 서비스를 제공하면 된다. 교육개혁의 일환으로 AI 기반의 학교폭력 예방 및 상담 솔루션 도입해 운영해야 한다.

학교폭력 상담 AI 솔루션은 다양한 서비스를 제공한다.

첫째, 자연어처리의 의미적 정보 검색이 가능하다. 일상적 문장으로 검색해도 그 의미를 해석해 법령, 시행령, 가이드 판례 등에 대한 검색이 가능하다.

둘째, 학교폭력 상담사례를 자동 추천한다. 학교폭력 관련 질문과 상담사례를 쉽고 빠르게 검색할 수 있으며 유사한 사례를 자동으로 추천하는 법률 AI 기술을 기반으로 한다.

셋째, AI 챗봇을 통해 신속 자문을 제공한다. 고도의 법률 AI 챗봇 기술을 활용해 더 정확하게 학교폭력 관련 조언 및 매뉴얼을 제공한다.

넷째, 유형별 대처방안을 제공한다. 왕따, 협박, 폭행, 사이버 범죄, 성폭력, 명예훼손 등 학교폭력 유형별 대처방안 및 가이드를 제공한다.

학교폭력 상담 AI 솔루션의 특징은 첫째, AI 챗봇과 자유롭게 상담한다. AI 챗봇과 비대면 상담으로 상담자의 심리적 부담을 줄여 객관적 상담이 가능하다.

둘째, 플랫폼을 통한 사례검색을 제공한다. 지능형 검색엔진을 이용한 플랫폼을 통해 정확한 사례를 검색하고 유사 사례까지 추천해준다.

셋째, 다양한 정보를 한곳에서 원스톱 서비스한다. 학교폭력과 관련한 상담 정보, 법령, 가이드 대처방안 및 교육 자료를 하나의 시스템을 통해 서비스한다.

넷째, 학교폭력 예방효과가 확대된다. AI 기술을 통한 학생들과 교사의 실질적 도우미 역할을 담당해 학교폭력 예방 교육 효과가 증대된다.

다섯째, 기존 상담 시스템의 단점을 보완하는 서비스다. AI 기반의 상담 솔루션은 빅데이터 분석 및 활용을 통해 기존의 분산되고 효율성이 낮은 학교폭력 관련 상담 서비스의 효율성을 대폭 향상한다.

여섯째, AI 기술로 미래교육 환경을 발전시킨다. AI 기반의 상담 솔루션은 다양한 영역에 확대 적용이 가능하다. 진로 적성, 가정폭력, 고민 상담 등에 적용하면 파급효과가 크다.

마지막으로 학교폭력 예방 교육도 한 곳에서 가능해진다. 단순한 동영상 교육에 나아가 메타버스와 ChatGPT를 활용한 교육 플랫폼은 적극적으로 학생들이 참여를 유도 할 수 있고 매우 높은 교육적 효과를 기대할 수 있다.

맞춤형 학폭 예방 AI ChatGPT 솔루션이 활용되면 학폭 없는 미래교육이 가능하다. 대한민국 교육개혁 성공의 첫걸음은 학폭 예방에 달려 있다. (네이버 블로그. 2022. 10. 22.)

4장.

ChatGPT가 몰고 온 교육혁명

교육현장,
ChatGPT 활용 교수법 프로젝트

상황 : AI ChatGPT 시대 미래교육 혁명, 에듀테크 방향 제시

○ 교육 현장에 ChatGPT 활용, 교수법 혁명적 변화를 몰고 옴

화두 : 광복 100주기 '2045년 AI G3' 도약의 첫 단추

○ 교육개혁 : ChatGPT가 미래에 어떤 영향을 미치며 어떻게 활용할 것인가?

○ 교수법 : ChatGPT가 교수법을 향상하는 데 어떻게 기여할 것인가?

○ 학습법 : 맞춤형 학습을 위해 ChatGPT를 어떻게 활용해야 할 것인가?

활용 : ChatGPT 잘 활용, 무엇을 어떻게 가르칠 것인가?

○ 교사 : ChatGPT 활용 어떻게 가르칠 것인가? 대화, Q&A, 과제 풀기 등

○ 학생 : ChatGPT 활용 어떻게 학습할 것인가? 질문·문제 풀기, 실험 등

○ 학습 : ChatGPT 활용 맞춤형 학습을 어떻게 할까? 개념, 연습문제 등

○ 숙제 : ChatGPT 활용 숙제 무엇을 다루어야 하나? 정의, 검토, 피드백 등

○ 보조 : ChatGPT가 보조적 역할 어떻게 할까? AI 보조 튜터·학습 보조 가능

조건 : 'ChatGPT 교육 시대' 갖추어야 할 역량

○ 학생 : 학습 능력 향상 활용해야지, 학습 대안으로 사용하지 않도록 주의

○ 교사 : ChatGPT가 제시한 대답에 오류·문제 있음을 지적하고 가짜 확인

○ 기본 : AI와 자연어처리에 대한 기본적 컴퓨터 및 소프트웨어 활용 능력

○ 창의 : 문제 정확하게 파악, 적절한 해결책 도출하는 창의 문제해결 능력

○ 역량 : 디지털 리터러시·자기 주도적 학습·비판적 사고·협업 역량

예산·추진 : 교육개혁 성공을 위해 'ChatGPT 교실학습' 지금 적용

○ ChatGPT 전문교사 교육 및 수당 책정, 10만 명×100만 원
  =1,000억 원
○ 2023년 6월부터 교육청 단위 선제적 도입 운영 후 확대

ChatGPT 활용 교육·학습 대전환

현황

○ 변화 : Before ChatGPT vs After ChatGPT

○ 교육 : 산업화 시대 경제발전 이끌고 선진국 진입의 견인차
  역 맡음

○ 현황 : 글로벌 경쟁 뒤떨어진 교육 시스템. G7 경제 규모 맞
  지 않음

과제

○ 체계 : 낡고 낡은 70여 년 넘은 교육, ChatGPT 시대 교육 체
  계 전환

○ 핵심 : ChatGPT 시대 어떻게 교육개혁 할 것인가?

핵심

○ 분류 : AI와 경쟁시키는 교육, AI를 터득하는 교육, AI를 활

용하는 교육

○ 전환 : 지식을 밀어 넣고 담는 교육에서 창의적 공간을 마련
해주는 교육

○ 경쟁 : 질 높은 교육 서비스 제공. 경쟁과 서열 넘어 협력과
공정으로

○ 행복 : 교육의 목적은 학생 모두 행복한 삶을 살도록 교육하
는 것

○ 중심 : 가르치는 교사 중심 → 학습자 중심의 맞춤형 배움으
로 초점 이동

교사

○ 역량 : 창의적 문제해결력, 자기 주도성, 디지털 능력, AI 리
터러시

○ 역할 : ChatGPT 표방+AI 가르치는+ChatGPT 활용+AI 협
력=교사

○ 국정 : 학생의 미래와 사교육비 고통받는 학부모를 위해 교
육개혁 성공

○ 성패 : 2023년 하반기에 ChatGPT 어떻게 교육 현장에 적용
하느냐 관건

예산

○ 예산 : ChatGPT 전문 강사 양성 30만 명×100만 원=3,000
억 원 소요

○ 추진 : 2023년 6월부터 교육청 단위 선제적 도입 운영 후
  확대

ChatGPT 시대의 교육개혁

ChatGPT 열풍이 거세다. ChatGPT(Generative Pre-Tranied Transformer)를 번역하면 사전 훈련된 생성 변환기다. 생성이란 질문에 답을 만들어 낸다는 뜻이고, 변환기란 입력한 문장속의 단어를 순차적으로 맥락에 맞게 배열해 학습하는 신경망이라는 의미를 지니고 있다.

초거대 생성형 AI ChatGPT가 전 세계 교육계에 큰 파문을 불러오고 있다. ChatGPT 충격파가 가장 빠르게 나타나고 영향을 고스란히 받는 곳은 교육 현장이다. 문제는 G7 경제 규모에 걸맞지 않은 우리의 후진적 교육 시스템을 ChatGPT 시대에 어떻게 개혁할 것인가 여부다.

우리의 대학 수준은 어떠한가. 영국의 대학평가 기관인 QS가 2023년 세계 1,500여 개의 대학 순위를 매기고 있는데 100위권 대학에 6개의 한국 대학교가 포함되어 있다. 이에 반해 싱가포르국립대학교, 베이징대, 칭화대는 10위권 초반에 올라와 있다.

한국 교육 시스템은 산업화 시대의 경제발전을 이끌고 선진국으로 진입하는 데 견인차 역을 했다. AI ChatGPT 시대는 과거의 교육 체제는 더 이상 맞지 않는다. 이젠 그 역할이 끝났다고 선언하고 교육개혁에 나서야 할 시점이다.

낡고 낡은 70년이 넘은 교육 체계를 AI 시대에 어울리는 ChatGPT를 활용한 창의적이고 맞춤형 교육이 가능한 교육 시스템으로 전환해야 한다. 필자는 교육 패러다임이 ChatGPT 이전과 이후로 나뉜다고 단언한다.

Before ChatGPT 시대는 AI를 활용하는 방식이 주로 에듀테크 학습을 통한 개인화와 학습 효율화가 주된 화두였다. AI 등장으로 학습자에게 다양한 어플리케이션을 통해 맞춤형 학습 내용을 더 빠르고 효과적으로 서비스할 수 있게 되었다.

디지털 기기와 어플리케이션 보급이 교사를 대체하고 교육행정을 자동화하는 움직임은 매우 빠르게 진행되고 있다. 하지만 이는 ChatGPT와 같은 생성형 AI를 적극적으로 활용한 것과는 거리가 있다.

After ChatGPT 시대에 교육 현장이 어떻게 혁신할지 정확히 예측하기가 어렵다. 교육 선진국인 미국 대학들은 학과별로 ChatGPT에 대한 대응 방안을 마련하기 위해 ChatGPT 관련 특별 위원회를 조직해서 의견을 수렴하고 나름의 내부 정책을 수립 대응에 나서고 있다.

그 핵심은 놀랍게도 ChatGPT의 활용을 전면적으로 허용하는 것이다. 다만 미국 뉴욕주 교육 당국은 K12 학교에서 ChatGPT

의 활용을 금지했다. 하지만 생성형 AI 발전 속도를 보건대 결국 교육 현장에서 ChatGPT를 마냥 금지하기 어려울 거로 보는 게 일반적 견해다.

AI ChatGPT 시대 교육은 3가지로 나뉜다. 굉장히 정형화된 문제 유형을 개발하여 문제해결 능력을 시험하고 양성하는 AI와 지식을 경쟁시키는 교육, 코딩과 교육 AI 전문가 육성 과정인 AI를 터득하는 교육, AI를 활용하는 교육으로 분류된다.

교육부는 교육개혁의 하나로 학생·가정·지역·산업 맞춤의 4대 분야를 설정했다. 또한 10대 핵심 정책으로 디지털 기반 교육 혁신, 학교 교육력 제고, 첨단 분야 인재 육성, 교육개혁 입법 추진, 돌봄 하고 운영 도입, 디지털 교과서 플랫폼 도입 추진 등을 추진하겠다고 발표했다.

개별 맞춤형 교육을 통해 사회가 필요로 하는 미래 산업의 인재 양성에 집중하겠다는 것이나, ChatGPT 시대에 과연 맞는 방향인지 재점검이 필요하다고 필자는 생각한다. AI와 공존하기 위해서는 지식을 담는 교육에서 창의적 생각의 공간을 마련해주는 교육으로 재편할 필요가 있다.

그렇다면 ChatGPT 시대의 교육개혁은 어디에 방점을 찍어야할까?

첫째, 행복이 우선이다. 학생들은 과도한 입시경쟁과 성적 압박 때문에 행복을 느끼지 못하는 실정이다. 교육의 목적은 학생들 모두 행복한 삶을 살 수 있도록 교육하는 것이어야 한다. 초중고 학습은 토론과 인성 교육에 중점을 두어야 한다.

둘째, 경쟁 교육 체계의 변화가 시급하다. 학교 교육을 경쟁과 평가로 바라보는 관점에서 벗어나야 한다. 평가는 학생들을 서열화하는 도구가 되면 안 될 것이다. 경쟁은 대학 입학 후 제대로 공부하면서 세계 대학과 하는 것이다. 질 높은 교육을 제공하려면 경쟁과 서열을 넘어 협력과 공정으로 나아가야 한다.

셋째, 교사의 역량 강화다. AI ChatGPT 시대 교사는 창의적 문제 해결력, 자기 주도성, 디지털 역량을 갖추고 인성이 절대적인 요소다. ChatGPT 성능을 표방하는 교사, AI에 대해 가르치는 교사, ChatGPT를 다양한 주제에 활용하는 교사, AI와 협력하는 교사로 나눌 수 있다. 미래 교사는 4가지 다른 패러다임 모두에 적응할 수 있는 역량이 필요하다.

넷째, 학습자 중심 교육이다. 지금까지의 교육은 교사 중심의 가르치는 것에 중점 두었다면, 앞으로는 학습자 중심의 맞춤형 배움으로 이동해야 한다. 학습자 중심의 주체 요소는 발견학습, 프로젝트 학습, 체험학습, 협력 학습, 토의 수업이다.

암기식 위주 교육으로 경쟁력을 잃어가는 학생들의 미래와 사교육비 부담으로 고통받는 학부모들을 위해서라도 AI ChatGPT 시대 교육개혁은 반드시 성공해야 한다. 교육개혁 성패는 2023년 하반기에 어떻게 하느냐에 달렸다.

정책구매제를
효율적으로 운영하려면?

명확한 목표 설정

　정책구매제의 목표를 분명히 설정하여 관련된 모든 이해관계자가 이해할 수 있도록 해야 한다. 이는 정책구매제가 예상한 결과를 달성하는 데 도움이 된다.

데이터 분석

　정책구매제의 성공 여부를 평가하고 개선할 수 있도록 다양한 데이터를 수집하고 분석해야 한다. 이를 통해 정책구매제의 효과와 문제점을 파악할 수 있다.

투명성 확보

　정책구매제의 프로세스와 기준을 명확하게 공개하고, 관련 정보를 쉽게 접근할 수 있도록 해야 한다. 이는 참여자들의 신뢰를 높이고, 정책구매제의 효율성을 높일 수 있다.

인센티브 제공

　참여자들에게 충분한 인센티브를 제공하여 정책구매제의 효과를 높일 수 있다. 이는 참여자들이 적극적으로 정책구매제에 참여하도록 독려할 것이다.

지속적인 모니터링 및 개선

성과를 지속해 모니터링하고, 필요한 경우 개선 조치를 적시에 취해야 한다. 이를 통해 정책구매제의 효과를 극대화할 수 있다.

범부처 협력 강화

효과를 높이기 위해 관련 부처 간 협력을 강화해야 한다. 이는 정책구매제의 실행과 관리를 원활하게 하여 효율성을 높일 것이다.

교육 및 홍보

교육과 홍보를 적극적으로 실시하여, 이해관계자들이 정책구매제의 목표와 방법을 이해하고 적극적으로 참여할 수 있도록 도와야 한다.

최적화된 기술 활용

최신 기술을 활용하여 정책구매제의 프로세스를 최적화하고, 관련 데이터를 효율적으로 관리할 수 있도록 해야 한다. 이는 정책구매제의 운영 효율성을 높이는 데 도움이 된다.

이해관계자 참여 확대

다양한 이해관계자들의 의견을 수렴하고 참여를 확대해야 한다. 이를 통해 정책구매제가 더 효과적이고 다양한 관점에서 검토될 수 있다.

평가 및 피드백 시스템 구축

성공 여부를 지속해 평가하고, 이를 통해 피드백을 제공하는 시스템을 구축해야 한다. 이를 통해 정책구매제의 개선점을 발견하고 적절한 조처할 수 있다.

법령 및 제도 개선

법령 및 제도적 측면에서의 개선이 필요하다. 이는 정책구매제의 운영을 원활하게 하고, 참여자들의 권익을 보호할 수 있도록 도와준다.

국제 협력 강화

해외의 선진 사례를 참고하거나 국제 협력을 통해 정책구매제의 운영 능력을 향상할 수 있다. 이를 통해 정책구매제의 성과를 극대화할 수 있다.

이러한 방법들을 종합적으로 고려하여 정책구매제를 효율적으로 운영하면, 기대하는 성과를 얻을 수 있을 것이다. 이는 정책구매제가 국가의 발전과 국민의 삶의 질 향상에 이바지하는 데 도움이 된다. (2023.04.21. 정책구매제 토론회 발언)

맺음말

Google의 위기

ChatGPT 열풍이 전 세계를 뒤덮고 있다. ChatGPT 출현으로 가장 곤혹스러운 곳은 검색의 황제 Google이다. 구글은 알파고를 앞세워 인간 최고의 바둑 기사를 이기며 AI의 위력을 과시한 바 있다.

전문가들은 AI시대 최강자는 구글일 것으로 당연시 여겨왔다. 하지만 ChatGPT 출현 이후 상황은 급변했다. 구글의 검색시대는 끝났다. 많은 사람이 구글 제국이 무너지기 시작됐다는 말까지 나왔다.

구글이 AI 윤리 가이드 라인에 묶여 주춤하는 사이 ChatGPT가 출현, 게임의 룰을 흔들고 있다는 분석이 지배적이기 때문이었다.

세계 검색 시장 80%를 장악하고 있는 절대 강자 구글에 맞서 마이크로소프트(MS)는 챗GPT라는 챗봇 AI를 빙(Bing)에 연동해 허를 찔렀다.

지난 2월 구글은 부랴부랴 람다(LamDA) 기반의 초거대 생성형 AI인 Bard를 공개했다. 하지만 Bard 글로벌 시연에서 제임스웹 천체 망원경 질문에 허블 망원경에 대한 대답을 내놓는 바람에 세계적으로 망신당했다. 다음날 구글의 주가는 폭락했다.

구글은 최고 위기 경보인 코드레드를 발령했다. 구글은 문제는 속도라는 것을 깨달았다.

Google의 역습

그 후 구글은 3월에 영어 버전을 발표했다. 4월 구글은 AI 챗봇이 구글의 검색 시장에 위협이 되지 않을 것이고 발표했다. 검색엔진과 AI 챗봇의 결합이 아닌 검색엔진 자체에 AI 챗봇 기능을 탑재하겠다는 메시지가 나왔다.

구글은 연례 개발자 대회인 구글 I/O를 통해 구글이 무려 25년간 글로벌 AI 시장을 선도하였고 앞으로도 생성형 AI 시장에서도 구글은 리드해나갈 것이라고 강조했다.

5월에는 한국어, 일본어 등 40여 개국 언어를 중심으로 180 개국에 전격 공개했다.

바드가 전면 서비스를 개시한 가운데 문맥과 답변의 질 등 기능적 측면에서 챗GPT 존재감을 덮어버리고 있다는 소리가 여기저기서 들려오고 있다.

AI를 학습시킬 수 있는 데이터에 확보에 있어 타의 추종을 불허하는 구글이기에 가능하다. 구글이 한국어 서비스를 전격 내놓은 것은 특화 AI 시장이 발전한 테스트 베드이기 때문이다.

향후 우려되는 것은 구글이 보유한 대규모 LLM 관련 특허를 AI 라이센스 모델로 변경하는 순간 글로벌 AI 시장이 구글의 손에 장악될 수 있다는 것이다.

Google의 Bard

바드(Bard)는 구글이 내놓은 새로운 대화형 AI 서비스로 시인이라는 뜻을 내포하고 있다. 구글이 초거대 생성형 AI 챗봇에 시인이라고 이름을 붙인 것은 생성형 AI의 가치를 최고로 끌어 올리기 위한 숨은 의도가 있어 보인다. 앞으로 바드가 기술 발전을 거듭하면 최종적으로 '시인의 AI 삶'을 추구하기를 기대하면서 말이다.

바드는 구글 검색과 연계돼 정확도를 높이고 있다. 바드는 스스로 답변에 한계가 있으며 항상 정확하지 않다고 밝히고 있다. Bard는 ChatGPT 대항마이다. ChatGPT가 파죽지세로 앞서나가자 구글은 위협을 감지했다.

구글은 생성형 AI를 검색엔진부터 e메일·클라우드·문서 등 구글 서비스 전역에 도입하여 검색 시장 공룡의 위치를 유지하기를 원한다.

Bard나 ChatGPT나 인간의 뇌를 모방한 AI 신경망이다. 사람은 교육과 경험을 통해 일정한 패턴을 만들고 이를 개념화하는 방식으로 지식을 축적한다. AI 신경망도 수많은 데이터를 반복 학습함으로써 패턴을 찾아내 다음에 나오는 말뭉치를 알아내는 게 핵심 알고리즘이다.

바드는 시각적 이미지를 강화하기 위해 구글 렌즈 기능이 결합하여 이용자 질문에 관련 이미지를 답으로 제시하고 이미지에 관한 질문에도 답할 수 있는 것도 특징이다.

구글이 절치부심하며 개발한 바드가 한글을 지원하면서 향후 국내시장은 네이버·카카오 등 국내기업과 글로벌 기업 간 밀릴 수 없는 AI 격전지가 될 것이다.

에필로그

세계에서 ChatGPT를 가장 잘 사용하는 나라 만들기

세상이 급변하고 있는 것은 AI 기술이 비약적으로 발전하고 있기 때문이다. 지금은 생성형 AI인 ChatGPT 등장으로 떠들썩하지만, 조만간 ChatGPT를 뛰어넘는 SuperGPT가 등장할 것으로 확신한다. 영화 아이언맨에서 토니 스타크는 AI 비서 자비스의 도움을 받는다. AI 비서 서비스는 지시만 내리면 자동으로 알아서 해킹이나 전투까지 모든 일을 척척 해낸다. 사람 비서 수백 명보다 일을 빠르고 정확하게 처리한다. ChatGPT보다 더 쎈 놈인 AutoGPT가 나타났다는 소식까지 들린다. 이제 ChatGPT는 선택이 아닌 필수적으로 잘 활용해야 글로벌 경쟁에서 앞설 수 있다. 교육개혁의 목표는 '세계에서 ChatGPT를 가장 잘 사용하는 나라를 만들기'가 되어야 한다.

ChatGPT를 교육에 활용하면 학습에 혁명적인 변화가 일어난다. 필자는 교육의 시대를 ChatGPT 이전과 이후로 나뉠 것으로 확신한다. 교육개혁의 성공은 ChatGPT 활용 여부에 달렸다.

P.S.

사랑하는 雅悧! 어느 날 갑자기 찾아온 이별의 그날을 잊을 수가 없다. 우리 대신 犧牲하며 무지개다리를 건넌지 어느덧 5년이 흘렀구나. 雅悧는 항상 우리 가슴 속에 살아있다. 사랑하는 雅悧와 인생의 동반자 아내 金延貞님께 이 책을 바친다.

나에게

벼는 익을수록 고개를 숙인다. 인생 어느덧 61년을 살아오면서 느낀 것은 너무 부족하다는 것이다. 살아온 날보다 살아가야 날들 이 적기에 자연의 섭리에 따라 순응하며 세상에 봉사하며 겸손과 배려의 삶을 살겠다고 다짐한다. 비록 보이지는 않더라도 엄연히 존재하는 것은 인연(因緣)이다. 졸저를 통해 귀중한 분과의 맺은 인연을 소중히 여기며 살아갈 것이다. 지금까지 9권의 책을 집필 했다. 인생은 9988이라고 한다. 앞으로 몇 권을 낼지 모르겠지만 마지막 책은 회고록이 될 것이다.

고마운 분들

상업성이 부족한 이 책을 저자와의 첫 만남에서 흔쾌히 허락해 주시고 떠맡아준 휴먼필드 출판사와 책을 구매해주신 모든 분께 심심한 사의를 표한다.

2024. 01. 1.

저자 朴 正 一

AX 교육혁명
—반값 사교육 편

—

초판발행   2024. 1. 25.

—

지 은 이   박정일
펴 낸 곳   휴먼필드
출판등록   제406-2014-000089
주   소   경기도 파주시 탄현면 장릉로 124-15
전화번호   031-943-3920   **팩스번호**   0505-115-3920
전자우편   minbook2000@hanmail.net

—

ISBN 979-11-92852-02-7 03370